CHARLIE BROWN
L'ENCYCLOPEDIE

LES HABITANTS DU MONDE
Notre Terre à Tous

L'HISTOIRE DU VETEMENT
Les Habits de la Tête aux Pieds

LES FETES DANS LE MONDE
Un Petit Tour des Grandes Réjouissances

VOLUME 5

Avec les personnages
de Charles M. Schulz

TRADUCTION : DOMINIQUE MATHIEU

Crédits photographies et illustrations :
Animals Animals, 80 ; AP/Wide World Photo, 119 ; Craig Aurness/West Light, 41, 79, 118 ; Australian Overseas Information Service, 17 ; The Bettmann Archive, 84, 93, 123 ; Alouise Boker/Photo Researchers, 37 ; Jim Brandenburg/West Light, 55 ; J. Carnemolla/West Light, 17 ; David Celsi, 64, 71, 85, 87, 102, 130, 131, 141, 144, 150, 154 ; Al Clayton, Stills Inc./West Light, 47, 49 ; Comnet/West Light, 105 ; E. R. Degginger/Earth Scenes, 65 ; Ashod Francis/Earth Scenes, 103 : Michael P. Gadomski/Earth Scenes, 129 ; John Gerlach/Animals Animals, 62 ; Louis Gervais/West Light, 14 ; Giraudon/Art Resource, 67 ; Rick Golt/Photo Researchers, 43 ; Don Goode/Photo Researchers, 49 ; Jon Gordy/West Light, 105 ; The Granger Collection, 85, 96, 101, 126, 136, 140, 142, 146 ; Julie Habel/West Light, 148 ; Breck P. Kent/Earth Scenes, 13, 137 ; R. Kolar/Animals Animal, 21 ; Walter Hodges/West Light, 99 ; Pierre Kopp/West Light, 99 ; Bryce Lee, 76, 78, 89, 107, 114, 115 ; Larry Lee/West Light, 31, 134, 155 ; Leonard Lee Rue III/Animals Animals, 120 ; Zig Leszczyinski/Animals Animals, 63 ; R. Ian Lloyd/West Light, 56, 99 ; E. A. O'Connell/Earth Scenes, 28 ; Terry G. Murphy/Earth Scenes, 108 ; The New York Historical Society, New York, 73 ; Nick Nicholson/Image Bank, 99 ; Chuck O'Rear/West Light, 24, 25 ; Fritz Prenzel/Animals Animals, 12 ; R. Ingo Riepl/Earth Scenes, 39 ; Photofest, 109 ; D. Roff/West Light, 17 ; Mary Ellen Senor, 10, 11, 13, 17, 19, 30, 36, 39, 45, 53 ; Adam Smith Productions/West Light, 99 ; Dr. Nigel Smith/Earth Scenes, 46, 48 ; Michael R. Stoklos/Animals Animals, 83 ; UPI/Bettmann Newsphotos, 74 ; Kees Van Den Berg/Photo Researchers, 32 ; Brian Vikander/West Light, 20, 22, 26, 40, 54, 104, 106 ; Mike Yamashita/West Light, 34.

INTRODUCTION

Sais-tu comment les Esquimaux résistent au froid, de quelle origine sont les Australiens ou quel est le peuple qui mange du yack ? Charlie Brown et tous ses amis sont là pour t'aider à trouver les réponses à toutes ces questions et bien d'autres à propos de notre terre et de ses habitants. Amuse-toi bien !

CONTENU

Les premiers grands navigateurs ont fait une découverte extraordinaire. La terre n'était pas plate comme on le croyait : elle était ronde ! Depuis lors, marins, pilotes et astronautes ont tracé progressivement une carte de plus en plus précise de notre planète. Pour mieux l'étudier, grimpe donc sur la couverture magique de Linus, en compagnie de Charlie Brown et de ses amis.

VOICI NOTRE MONDE

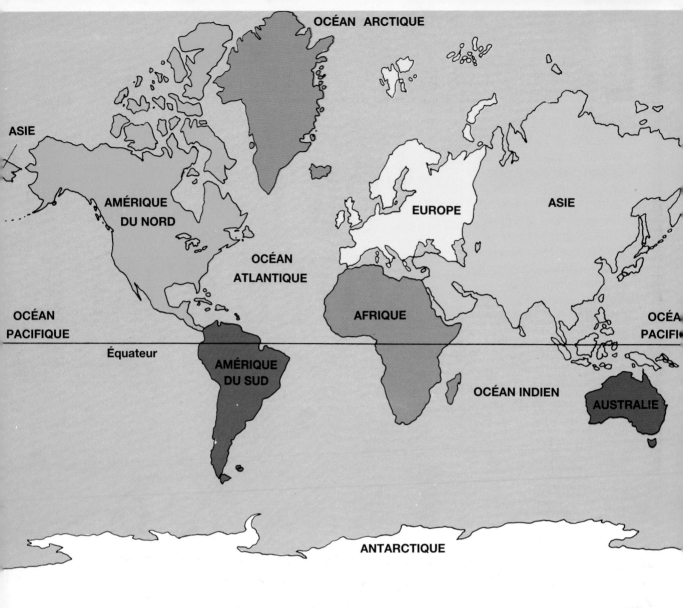

LE TRACE DES CONTINENTS

Sur quel continent vis-tu ?

Peux-tu retrouver sur la carte ci-dessus le continent dans lequel tu habites ? Si tu vis aux États-Unis, tu te trouves en Amérique du Nord. Si tu résides au Japon, tu es au cœur de l'Asie, et si tu vis en France, ton continent c'est l'Europe.

Qu'est-ce qu'un continent ?

Un continent est une étendue de terre. La terre se divise en six continents : l'Afrique, l'Amérique, l'Antarctique, l'Asie, L'Europe et l'Océanie. Certaines personnes estiment que l'Amérique du Nord et l'Amérique du Sud sont des continents séparés, ce qui ferait sept continents.

A quoi sert une carte de géographie ?

Une carte géographique est le dessin d'un endroit, d'une région ou d'un pays. Son but est d'aider les voyageurs à trouver leur chemin. Une carte peut nous montrer où se situe une ville, un cours d'eau, une chaîne de montagnes ou un désert. Comme tu peux le vérifier ci-dessus et sur d'autres cartes, l'océan figure toujours en bleu.

10

L'ÉQUATEUR ET L'ANTARCTIQUE

Que signifie la ligne horizontale tracée au milieu de toutes les cartes du monde ?

C'est l'équateur, une ligne théorique qui divise la terre en deux parties : l'hémisphère nord, au-dessus de l'équateur et en dessous, l'hémisphère sud. Si tu passais sur l'équateur, tu ne verrais pas de ligne, bien entendu. Tu y trouverais en revanche un climat très chaud. L'équateur est l'endroit le plus chaud du monde, car il est toujours exposé aux rayons de soleil les plus directs.

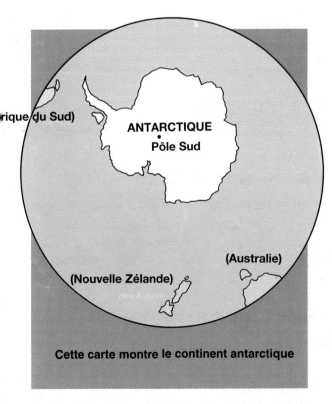

Cette carte montre le continent antarctique

Quel est le continent le plus froid ?

L'Antarctique, qu'on appelle aussi le Pôle Sud, est le continent le plus froid. Il est presque entièrement recouvert d'une couche de glace qui peut atteindre, à certains endroits, près de 3000 mètres d'épaisseur. Environ 95% de la surface glaciaire du monde se trouve dans l'Antarctique. On a estimé qu'un de ses icebergs aurait atteint une surface égale à la superficie de la Belgique !

Aucun arbre ni aucune plante n'y pousse tellement il fait froid. Les scientifiques y séjournent pour l'étudier, mais n'y restent jamais longtemps. Les seuls êtres à y vivre sont les phoques, les ours blancs, les pingouins et d'autres oiseaux mangeurs de poissons.

CHAPITRE 2

Notre première
étape est le plus
petit continent de tous,
l'Océanie. Il comprend
l'ensemble des îles
situées dans l'Océan
Pacifique dont l'Australie,
la plus grande île du
monde, et qui pendant
cent ans a donné son
nom au continent, et la
Nouvelle-Zélande, qui est
l'antipode de la France.

L'OCEANIE

AUX ANTIPODES

L'AUSTRALIE SAUVAGE

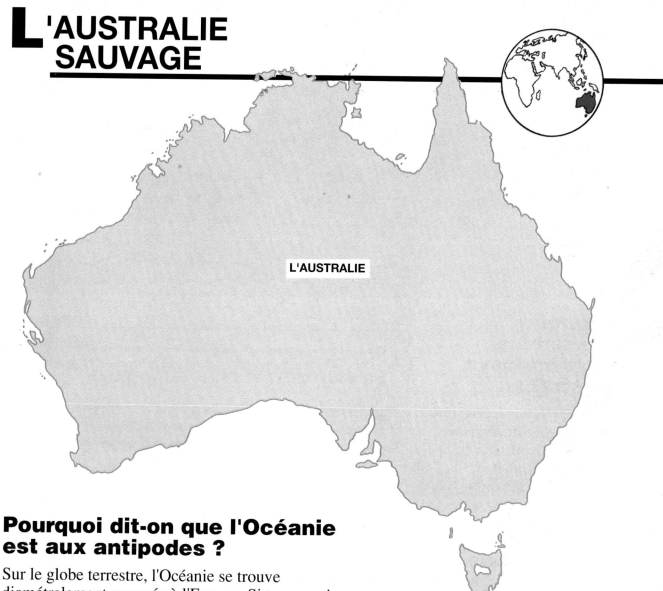

L'AUSTRALIE

Pourquoi dit-on que l'Océanie est aux antipodes ?

Sur le globe terrestre, l'Océanie se trouve diamétralement opposée à l'Europe. Si tu creusais en France un trou traversant toute la terre, tu déboucherais quelque part en Nouvelle-Zélande. Les Australiens d'origine européenne se surnomment d'ailleurs "ceux d'en dessous" puisqu'ils vivent dans l'hémisphère sud et que le nord est toujours présenté comme le haut de la planète.

Comment vivent les Australiens ?

Les Australiens vivent en majorité dans des villes situées sur le littoral. Le commerce maritime a toujours constitué, et reste encore aujourd'hui, le lien primordial avec le reste du monde. De plus, les régions côtières sont, comme partout, les plus fertiles. C'est d'autant plus évident en Australie où l'intérieur des terres, "l'arrière-pays", est en majeure partie désert et aride.

La montagne Ayers, dans le désert d'Australie, est le sommet rocheux le plus haut du monde!

A quoi ressemble l'arrière-pays australien ?

L'arrière-pays est constitué essentiellement de plaines et de vastes plateaux arides. C'est une terre plate, désertique, où la végétation est rare. Les habitants de ces régions sont surtout des éleveurs de bétail ou de moutons. Leurs fermes sont si grandes que leurs plus proches voisins sont très éloignés. Comme ils n'ont même pas de téléphone, ils communiquent entre eux par radio.

Le plus gros rocher du monde s'élève à 300 mètres au-dessus du désert. Son sommet a été arrondi au fil des siècles par l'érosion !

EN AUSTRALIE LES ÉCOLIERS N'ONT PAS BESOIN D'ATTENDRE BÊTEMENT LE BUS COMME NOUS !

Comment les enfants de l'arrière-pays vont-ils à l'école ?

Dans l'arrière-pays, les enfants ne vont pas à l'école. C'est l'école qui vient à eux. Ils étudient leurs cours à la maison, et leurs maîtres leur parlent par radio. Cette forme d'éducation a été baptisée l'École par les Ondes. Par ailleurs, les élèves envoient devoirs et contrôles à leurs professeurs par la poste, à l'occasion d'une rare liaison avec l'agglomération la plus proche.

LES GRANDES VILLES

A quoi ressemblent les grandes villes d'Australie ?

Les villes australiennes ressemblent à toutes les autres grandes cités du monde, avec de grands immeubles de bureaux, des rues encombrées de voitures et d'une foule de gens pressés. La seule différence, c'est qu'en Australie, les quartiers résidentiels sont très étendus, car les pavillons y remplacent les immeubles. Les Australiens préfèrent vivre dans des maisons particulières plutôt que dans des appartements.

Comment sont les écoles dans les villes ?

Elles ressemblent beaucoup aux nôtres. En Australie, l'école est obligatoire de 6 à 16 ans, et il y a aussi des collèges, des lycées et des universités.

Quels sont les principaux loisirs des Australiens ?

Le sport tient une place très importante dans la vie des Australiens. Il y a un fort pourcentage de jeunes qui sont naturellement sportifs. Le temps est assez doux pendant une majeure partie de l'année, et l'on peut pratiquer le sport en toutes saisons.

Comme de nombreuses villes sont au bord de la mer, on s'adonne beaucoup aux sports aquatiques. Les Australiens aiment bien nager, pêcher, faire de la voile, du ski nautique et du surf. Le tennis et le golf sont aussi très appréciés, et l'on pratique volontiers des sports anglais, en particulier le cricket qui, régulièrement, est le prétexte de grands tournois internationaux.

Quelle langue les Australiens parlent-ils ?

La langue officielle est l'anglais, car le continent a été colonisé par la Grande-Bretagne. L'accent australien est plus proche de l'anglais qu'il n'est de l'américain, mais il est cependant différent. Les Australiens ont en outre des expressions qui leur sont propres et que les autres anglophones ne peuvent pas comprendre.

La faune australienne :
40 millions de kangourous :
48 espèces.
Koalas : sorte d'ours marsupial
800 espèces d'oiseaux (dont 60 perroquets) : émeu, casoar, cygne noir, oiseau-lyre, etc.

EN AUSTRALIE, IL Y A DES POISSONS GROS COMME ÇA !

ABORIGENES ET DETENUS

Pourquoi les Anglais ont-ils colonisé l'Australie ?

Au XVIIIe siècle, les prisons anglaises étaient surpeuplées et les autorités britanniques ne savaient que faire de tous ces détenus. Il faut préciser qu'alors, il suffisait de déplaire au roi pour finir derrière les barreaux. La plupart des prisonniers n'étant pas dangereux, le gouvernement décida de vider les prisons en envoyant ces indésirables vivre en Australie.

L'Australie était-elle habitée lors des premières émigrations.

Oui, il y avait des indigènes, qu'on appelle les Aborigènes. Leur style de vie était très différent de celui des exilés anglais. C'étaient pour la plupart des nomades, c'est-à-dire des gens qui voyagent sans cesse en emportant avec eux tout ce qu'ils possèdent. Ils avaient bien une terre d'origine où ils retournaient à la fin de leur vie, mais entre temps ils ne cessaient de se déplacer.

Les Aborigènes ont inventé le boomerang, arme plate et courbée qui, en fin de parcours, retourne vers son lanceur.

Existe-t-il encore des Aborigènes en Australie ?

Oui, et certains d'entre eux continuent à mener la vie errante de leurs ancêtres. D'autres vivent dans des réserves semblables à celles des Indiens d'Amérique du Nord. Mais beaucoup d'entre eux ont adopté une existence citadine et cohabitent avec les Australiens d'origine européenne.

Y a-t-il eu d'autres émigrés que les détenus anglais ?

Au milieu du XIXe siècle, on a découvert de l'or en Australie. Des gens sont venus de tous les coins du monde pour tenter de s'enrichir rapidement. La grande majorité venait encore de Grande-Bretagne, mais il y avait aussi beaucoup d'Américains et de Chinois.

Aujourd'hui encore, les Australiens encouragent l'immigration vers leur pays. On y trouve toujours de vastes régions inhabitées que de nouveaux arrivants pourraient cultiver. Lors des 40 dernières années, deux milllions de personnes se sont expatriées vers l'Australie. On les appelle là-bas les "Nouvelles Personnes".

Un Australien sur six est une "nouvelle personne" !

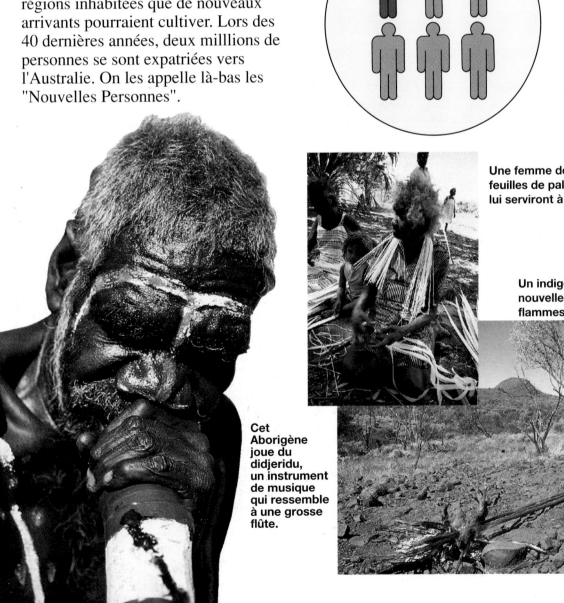

Une femme déchire des feuilles de palmier qui lui serviront à tisser.

Un indigène durcit une nouvelle lance dans les flammes.

Cet Aborigène joue du didjeridu, un instrument de musique qui ressemble à une grosse flûte.

17

En poursuivant ton voyage, tu trouveras au nord de l'Océanie le plus grand des continents : l'Asie. Des cimes enneigées aux rizières des basses-terres, des gratte-ciel des grandes villes aux déserts peu accueillants, des glaces éternelles aux îles verdoyantes, tu rencontreras partout des gens fascinants.
En route pour l'Asie !

L'ASIE MYSTERIEUSE

LES PAYS D'ASIE

Communauté des États Indépendants

Japon

Corée du Nord

Mongolie

Corée du Sud

Turquie

Chypre

Syrie

Afghanistan

Chine

Liban

Israël

Irak

Jordanie

Iran

Taiwan

Koweït

Népal

Bhoutan

Union de Myanmar

Bahreïn

Qatar

Philippines

Arabie Saoudite

Émirats Arabes Unis

Pakistan

Bangladesh

Laos

Inde

Oman

(Nord)

(Sud)

Thaïlande

Vietnam

Brunei

Yémen Réunifié

Cambodge

Malaisie

Sri Lanka

Indonésie

Quels sont les pays qui forment l'Asie ?

L'Asie comprend de nombreux pays.
Des vastes plaines de la Russie aux innombrables îles du Pacifique Sud, l'Asie est une étendue de terre aux contrastes variés. Charlie Brown va te décrire la vie des gens dans deux régions opposées mais tout aussi fascinantes : la haute montagne et les basses-terres.

LA CHAINE DE L'HIMALAYA

Qu'est-ce que l'Himalaya ?

L'Himalaya est un immense massif montagneux au sud de l'Asie. La chaîne s'étend sur trois pays : le Népal, le Sikkim et le Bhoutan. Elle touche aussi l'Inde, le Pakistan et le Tibet. Si les habitants de l'Himalaya ne sont pas tous de même nationalité, ils se ressemblent pourtant beaucoup.

Quelle est la plus haute montagne du monde?

On décrit l'Himalaya comme le Toit du Monde, et son sommet est le Mont Everest, qui culmine à 8.848 mètres, soit à peu près vingt-huit fois la hauteur de la Tour Eiffel. L'Himalaya compte 92 sommets dépassant 6,5 km d'altitude.

Les monts les plus hauts de L'Himalaya supportent les neiges les plus importantes, précisement en été !

Des maisons typiques de l'Himalaya au Népal.

Qui vit dans l'Himalaya ?

Il y a environ 20 millions d'habitants. Leur chevelure est noire et lisse, leurs yeux noirs et leur peau brune. Les Himalayens sont petits et robustes.

Les habitants de l'Himalaya vivent pour la plupart dans de petits villages nichés au creux d'étroites bandes de terre, les vallées.

A quoi ressemblent les maisons des Himalayens ?

Elles sont généralement construites en pierre. Comme le verre est rare, elles ont peu de fenêtres, ce qui aide à conserver la chaleur intérieure. Certains bâtiments sont recouverts de toits plats, mais un bon nombre sont en pente douce. Leurs habitants y posent des pierres pour empêcher la toiture de s'envoler sous la puissance des vents.

En général, les maisons de l'Himalaya sont petites mais comportent néanmoins deux étages, le dernier servant à conserver le foin et les réserves alimentaires. D'autres provisions ainsi que le bois de chauffage sont stockés au rez-de-chaussée, qui en hiver abrite aussi les animaux.

Au premier étage, la famille vit dans une grande pièce commune et , par temps froid, elle se réunit autour du feu qui sert à chauffer l'ensemble et à cuire les aliments.

UN YACK TIBÉTAIN

Quel est l'animal préféré des Himalayens?

Le meilleur ami de l'homme dans l'Himalaya est le yack, une grosse bête qui ressemble au buffle. Parfaitement adapté aux rigueurs de la haute montagne, il est employé à de nombreuses tâches.

Comme nos vaches, il fournit d'abord le lait et la viande. Il tire aussi la charrue du fermier et, comme le cheval, il porte de lourdes charges et peut servir de monture. Les femmes utilisent son long poil pour tisser des vêtements et des couvertures. Enfin, sa peau fournit le cuir pour fabriquer des bottes chaudes et solides.

Les cornes du yack s'avèrent utiles elles aussi, car on en fait des instruments de musique.

En grimpant à la recherche d'un peu d'herbe, quelques yacks sont presque parvenus au sommet de l'Everest !

Comment les habitants de l'Himalaya gagnent-ils leur vie ?

Certains d'entre eux élèvent des chèvres, des moutons ou des yacks. D'autres exercent le métier de guide pour les touristes et les adeptes de l'escalade. Mais les Himalayens sont en majorité des fermiers. Sur les pentes montagneuses, ils cultivent des céréales telles que l'orge et le blé et, plus bas dans les vallées, près de leurs demeures, des fruits et des légumes.

Que mangent les habitants de l'Himalaya ?

Ces montagnards mangent des céréales et d'autres graminées. L'orge est cuite, moulue et transformée en pain. Les pommes de terre bouillies ou frites sont très appréciées.

La viande de yack est un plat de choix, que les Himalayens mangent fraîche ou font sécher. Mais ils n'en consomment pas très souvent, car ils préfèrent garder le yack en vie le plus longtemps possible. On tue le yack à un âge assez avancé, mais sa chair change de celle plus abondante du mouton ou de la chèvre. On boit souvent du lait de yack, dont on fait du beurre et du fromage, et du thé additionné de sel et de beurre de yack.

Des enfants de l'Himalaya fréquentent l'école dans un grand village

Les enfants de l'Himalaya vont-ils à l'école ?

Tout dépend de l'endroit où les enfants habitent, car il n'y a pas d'écoles en dehors des villes et des gros villages. A cause des montagnes, les enfants ne peuvent pas aller chaque jour d'un village à l'autre. Les enfants des villages très isolés pourraient faire des études normales, à condition de quitter leur foyer pendant des mois. C'est toutefois très rare, et pour cette raison, beaucoup d'enfants ne savent ni lire ni écrire. Ils apprennent en revanche à semer le grain et à moissonner les récoltes, à tisser, à faire la cuisine et à exécuter toutes sortes de travaux essentiels à la survie en montagne.

Y a-t-il des magasins dans les villages de l'Himalaya ?

Pour la plupart, les villages n'ont pas un seul magasin, et les familles font pousser ou fabriquent tout ce dont elles ont besoin.

Une famille de l'Himalaya se rend en moyenne une fois par an dans un marché. C'est là que tous les habitants de la région viennent offrir leurs produits et leur récoltes en échange de vivres et de matériel. Ces marchés sont souvent en plein air.

Les membres de la famille apportent des vêtements et des couvertures qu'ils ont eux-mêmes tissés. Ils les troquent au marché contre du thé, des épices et des outils. Parce qu'ils échangent ainsi leurs biens, les habitants de l'Himalaya n'utilisent pratiquement jamais d'argent.

Que font les Himalayens lorsqu'ils sont malades ?

Les Himalayens croient pour la plupart que la maladie est créée par des esprits maléfiques. Lorsque l'un des leurs tombe malade, ils font appel à un chaman, à qui l'on attribue le pouvoir de guérison. Le chaman tente de soigner le malade en chassant les esprits et en recourant à une médecine naturelle.

Les scientifiques ont longtemps pensé que les chamans n'étaient pas vraiment capables de guérir les maladies. Mais les médecins ont pu vérifier que bon nombre de leurs remèdes naturels entrent dans la composition des médicaments couramment préparés dans les laboratoires.

Cependant, de nombreux habitants des petits villages n'ont pas l'occasion ou les moyens de se faire soigner convenablement. Aussi, certains meurent de maladies qu'une médecine appropriée pourrait facilement guérir.

S'AGIT-IL D'ABOMINABLES BONSHOMMES DE NEIGE ?

Qu'est-ce que l'abominable homme des neiges ?

On a signalé à plusieurs reprises la présence, dans les hauteurs de l'Himalaya, d'une créature velue que l'on a surnommé l'abominable homme des neiges. Personne n'a pu certifier qu'il existe vraiment, mais le bruit a couru qu'il s'agirait d'un être qui serait mi-homme, mi-singe. On prétend aussi qu'il a un cri très aigu, une odeur nauséabonde et des pieds inversés qui induiraient les chasseurs en erreur ! Les gens de la région l'ont surnommé le *yéti*.

Le mystérieux *yéti* est supposé errer la nuit dans les montagnes, mais les rares personnes qui disent l'avoir vu ne peuvent pas le prouver. D'autres auraient vu ses traces, mais rien ne confirme qu'il s'agissait de celles d'un *yéti*.

LES RIZIERES DES BASSES-TERRES D'ASIE

Qu'appelle-t-on les basses-terres ?

Les basses-terres sont des plaines chaudes et humides qui s'étendent du pied des montagnes jusqu'au littoral. La plus grande partie de la population asiatique vit dans les basses-terres.

Des rizières dans les basses-terres d'Indonésie.

ON EST PARFOIS OBLIGÉ DE SE MOUILLER LES PIEDS.

Où cultive-t-on le riz ?

Le riz, l'aliment le plus consommé de la planète, pousse de préférence dans des régions chaudes et humides, de basse altitude. On récolte plus de riz en Asie que nulle part ailleurs dans le monde. La Chine, l'Inde, l'Indonésie, le Bangladesh, le Japon et la Thaïlande sont les plus grands pays producteurs de riz.

Les six principaux pays producteurs de riz sont-ils très peuplés ?

Oui. On y compte environ deux milliards d'habitants, soit un peu moins de la moitié de la population mondiale. Ce chiffre est en augmentation rapide et constante, et dans certaines régions, les gens commencent à vivre très à l'étroit.

Comment trouve-t-on assez de place pour y cultiver le riz ?

En Asie, les cultivateurs de riz n'exploitent en général que de petites parcelles de terre. Certaines rizières ne dépassent pas la surface d'un terrain de football. Mais il y en a des milliers, et elles produisent à elles toutes de grandes quantités de riz. Les six principaux pays producteurs d'Asie en fournissent chaque année 260 millions de tonnes environ.

Un Asiatique consomme en moyenne 95 kg de riz par an. Un Français en consomme 3, 7 kg !

Quel animal aide-t-il les Asiatiques à cultiver le riz ?

Le buffle d'eau leur sert de bête de trait. C'est un grand animal très robuste avec de longues cornes. Malgré sa taille, c'est une créature très douce que même les enfants peuvent guider à travers les étangs.

Quand le riziculteur laboure la rizière, le buffle tire la charrue qui creuse les sillons dans la terre. Le riz est planté dans les sillons et pousse jusqu'à former des tiges hautes d'environ un mètre, sur lesquelles se développent les grains comestibles. Lorsque ceux-ci sont mûrs, les tiges sont coupées et emportées sur une charrette tirée par un buffle d'eau, et c'est encore celui-ci qui piétine les tiges pour en faire tomber les grains.

Les riziculteurs utilisent-ils des machines ?

La plupart des rizières sont trop petites pour justifier l'utilisation d'une machine. Le travail se fait donc à la main, et toute la famille aide à désherber la rizière et à semer le riz. Lorsqu'il est mûr, on le récolte en coupant les tiges avec des couteaux aux lames bien aiguisées.

Cependant, certains cultivateurs utilisent le tracteur pour tirer leur charrue.

Comme le riz pousse sur des terrains marécageux les riziculteurs travaillent souvent les pieds dans l'eau !

En Asie, les riziculteurs construisent leurs maisons sur pilotis, afin de les protéger contre les inondations.

Où les riziculteurs construisent-ils leurs maisons ?

Les cultivateurs de riz ne vivent pas à proximité de leurs rizières comme les agriculteurs européens près de leurs champs. Leurs maisons sont construites avec d'autres, dans les villages qu'ils quittent chaque matin pour se rendre dans leur rizière. Beaucoup de zones de riziculture manquent de routes, car elles sont sillonnées de rivières ou de canaux. Les habitants s'y déplacent en barque ou en canoës.

Les cours d'eau servent aux cultivateurs à se baigner, à cuire les aliments, à se brosser les dents et à laver leurs vêtements !

IMAGINE UN PEU : PAS DE DICTÉES, DE CALCUL OU PROBLÈMES ! QUELLE CHANCE !

Les enfants de riziculteurs fréquentent-ils l'école ?

Il existe des écoles, mais pas partout. En Chine et au Japon, tous les enfants des rizières peuvent fréquenter un établissement scolaire. Dans les autres pays, il n'y a d'école que dans les agglomérations d'une certaine taille. Ailleurs, des instituteurs se rendent dans les villages de moyenne importance où ils séjournent plusieurs mois d'affilée pour apprendre aux enfants à lire, à écrire et à compter. Mais de nombreux enfants des villages pauvres ou isolés ne sont pas instruits.

Que mangent les riziculteurs ?

Du riz. Ceux qui le cultivent le font bouillir, cuire à la vapeur ou frire, en y ajoutant parfois une sauce à base de poisson bouilli.

De nombreuses familles cultivent et mangent aussi des patates douces, des haricots, des petits pois et d'autres légumes semblables à ceux que nous consommons en Europe. Une famille peut très bien posséder quelques arbres fruitiers, des volailles et un porc ou deux. De temps à autre, ils pêchent du poisson ou en achètent. Mais les riziculteurs les plus pauvres ne mangent guère autre chose que du riz.

Il existe en Asie de nombreux marchés flottants. Ici, on vend des récipients et des pots.

Où les riziculteurs font-ils leurs achats ?

Pour s'approvisionner, ils se rendent à la ville la plus proche. Peu de villages ont leurs propres magasins. Certaines familles, pour aller faire leurs courses, doivent se déplacer en barque sur une rivière ou un canal. D'autres font le chemin à pied, en empruntant par endroits un autocar. On emporte souvent avec soi quelque produit ou article à vendre au marché de la ville.

Y a-t-il des médecins dans les villages de rizières ?

Les médecins sont très rares dans cette partie du monde. Une génération entière de riziculteurs peut très bien vivre sans jamais consulter un médecin, mais il arrive qu'on fasse appel à un chaman. Les habitants des basses-terres croient qu'ils sont entourés d'esprits, qu'il en vit un dans chaque rivière et même dans chaque maison. La maladie signifie que ces esprits sont contrariés et l'on agit comme dans l'Himalaya : on fait venir le chaman, qui aide le malade à rétablir l'harmonie et à calmer les esprits.

CHAPITRE 4

Des vignobles de France aux rues animées de Londres, en Angleterre, ou de Madrid, en Espagne, des îles de la Grèce aux villes d'art de l'Italie, des chalets de la Suisse aux centres agricoles de la Pologne ou aux zones industrielles de l'Allemagne, chaque pays d'Europe est unique en son genre. C'est le cas de la Hollande. Viens donc observer ce plat pays du haut du moulin où se perche Woodstock.

L' EUROPE

LES PAYS D'EUROPE

Norvège

Finlande

Royaume-Uni

Suède

Danemark

Communauté
des États
Indépendants

Pays-Bas

Irlande

Belgique

Allemagne

Luxembourg

Républiques
Tcheque et
Slovaque

France

Autriche

Hongrie

Suisse

Roumanie

Espagne

Ex-Yougoslavie

Italie

Bulgarie

Portugal

Turquie

Grèce

Albanie

Quels sont les pays du continent européen ?

Cette carte te montre la plupart des pays d'Europe. Certains Etats, tels que la
Principauté de Monaco ou la République d'Andorre sont plus petits que certaines
grandes villes de France. Dans des pays comme l'Espagne ou l'Italie, le temps est
chaud et ensoleillé, tandis qu'au nord de la Finlande et de la Norvège, il y a tant de
neige que tu aurais du mal à te déplacer sans luge ou sans skis. La France, grâce à sa
situation centrale, jouit d'un climat tempéré et doux.

LES PAYS-BAS

En quoi les Pays-Bas sont-ils uniques ?

Les Pays-Bas, qu'on appelle aussi la Hollande, n'ont aucune montagne. En revanche, de nombreux cours d'eau sillonnent un relief particulièrement plat. Une grande partie des terres se situe en-dessous du niveau de la mer, et c'est ce qui leur a valu le nom de Pays-Bas.

Y a-t-il des fermes au Pays-Bas ?

Les fermes hollandaises sont nombreuses et se situent souvent dans des polders, qui sont des parcelles de terre fertile formées d'anciens marais endigués contre la mer et asséchés. On y cultive du grain, des pommes de terre, des betteraves et des tulipes. On y élève aussi du bétail. Une bonne moitié du territoire des Pays-Bas est consacrée à l'agriculture.

Les moulins de Hollande

Comment empêche-t-on l'eau de pénétrer dans les polders ?

Les Hollandais ont construit de nombreuses digues très hautes pour empêcher la mer d'inonder le littoral. La pluie et les nappes d'eau souterraines sont évacuées à l'aide de pompes fonctionnant en permanence. Ces pompes étaient jadis activées par des moulins à vent qui sont aujourd'hui remplacés par l'énergie électrique. On n'utilise plus tellement les moulins mais ils se dressent toujours dans le plat pays dont ils sont devenus le symbole.

Les digues s'écroulent-elles parfois ?

Les fermiers surveillent sans cesse les digues pour s'assurer qu'elles ne risquent pas de rompre. Les cigognes aident d'ailleurs les fermiers dans cette tâche, car elles mangent les petits animaux qui cherchent à se réfugier dans les digues en creusant des galeries.

Les digues protègent les terres gagnées par les Hollandais sur la mer.

Les inondations posent-elles un problème ?

Oui, les inondations créent une forte pression contre les digues, et les conséquences d'une rupture seraient graves. Les digues sont renforcées avec des sacs de sable et des branches d'arbres entrelacés.

Pendant les guerres, les Hollandais ont parfois ouvert les barrages pour que la mer inonde l'envahisseur !

LA VIE DES HOLLANDAIS

COMMENT, J'AI DE GROS SABOTS !?

Comment les Hollandais gagnent-ils leur vie ?

Comme de nombreux Européens, certains Hollandais travaillent dans le tourisme. D'autres, plus nombreux, exercent une activité industrielle ou artisanale. La mer et l'abondance de cours d'eau ont toujours fait des Pays-Bas et de ses habitants une nation de commerçants. Les rivières et les canaux permettent de rejoindre facilement les autres pays d'Europe, et la mer, le reste du monde. Les Hollandais ont toujours été de grands navigateurs. La Hollande, où l'eau abonde, est également une terre fertile qui se prête à l'agriculture.

A quoi ressemble une ferme hollandaise ?

Une ferme hollandaise réunit en un seul bâtiment la maison et l'étable. La maison où vit le fermier ressemble à la plupart des maisons européennes. L'étable est constituée de stalles pour le bétail et d'une salle de préparation du beurre et du fromage. Les Hollandais produisent en effet beaucoup de beurre et de produits laitiers.

Comment s'habillent les Hollandais ?

Les habitants des Pays-Bas ne s'habillent guère différemment des Français ou de la majorité des autres Européens. Cependant, certains fermiers portent encore les traditionnels sabots de bois, qui leur permettent de marcher à l'aise dans les terres marécageuses des polders. Les chaussures de cuir ne résisteraient pas longtemps à l'humidité.

Ces fromages enrobés de cire sont en vente sur un marché hollandais

Les Hollandais font-ils les courses ?

Oui. Il y a aux Pays-Bas beaucoup de boutiques et de magasins. Par beau temps, de nombreux marchés se tiennent en plein air sur les places des grandes villes. On y vend des tulipes, des légumes, des confiseries et de délicieux fromages à pâte dure qui sont, avec la culture des fleurs, une spécialité hollandaise.

Comment les Hollandais voyagent-ils à l'intérieur de leur pays ?

Grâce à l'abondance de canaux et de rivières, la navigation est un mode de voyage courant et facile. Mais les Hollandais se déplacent surtout en bicyclette. Le pays étant très plat, il est facile d'y rouler à vélo. Et puis cela revient moins cher que l'automobile, car l'essence est très chère.

Les enfants hollandais vont-ils à l'école ?

Tous les enfants de 6 à 16 ans doivent fréquenter régulièrement l'école. Ils suivent d'abord des cours d'école primaire pendant six ans et fréquentent ensuite divers types d'écoles d'enseignement secondaire. Celles-ci préparent généralement les élèves à l'université, où ils pourront étudier les sciences, l'architecture ou la médecine. D'autres établissements forment des électriciens, des menuisiers ou des secrétaires. Il y a même des écoles secondaires qui apprennent à enseigner !

Une partie de l'Afrique est recouverte de déserts ou de jungles, et pourtant de grandes villes s'y dressent un peu partout. Le continent est constitué en majeure partie de savanes, de vastes étendues de hautes herbes parsemées d'arbres. Les explorateurs du XIXe siècle voyageaient avec difficulté sur cette immense terre aride et sauvage, et comme personne n'avait alors réussi à bien connaître l'Afrique, on la surnommait "le Continent Obscur."

L'AFRIQUE : LE CONTINENT OBSCUR

LES PAYS D'AFRIQUE

Quels sont les pays du continent africain ?

L'Afrique comprend un grand nombre de pays, et nul autre continent ne rassemble autant de peuples différents : des Berbères, qui vivent dans les montagnes et les déserts d'Afrique du Nord, jusqu'aux Bushmen Kung, chasseurs vivant dans le sud-ouest. Les grands guerriers Masaï vivent sur les territoires du Kenya et de la Tanzanie à l'est du continent tandis que les Ashanti, dont les magnifiques sculptures ont tellement inspiré les grands artistes européens, résident à l'ouest sur les côtes de Guinée. L'une des plus anciennes civilisations du monde est née sur le continent africain, plus exactement sur les berges du Nil, en Égypte. Allons rendre visite à quelques-uns des curieux habitants de l'Afrique.

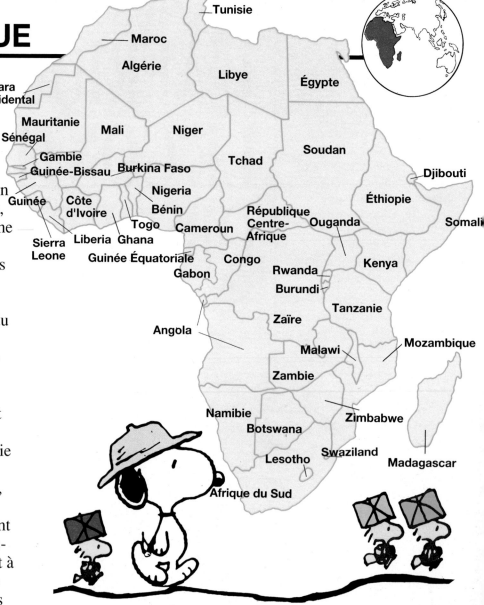

LES PYGMEES AFRICAINS

Qui vit dans les jungles de l'Afrique centrale ?

Cette région souvent impénétrable abrite de nombreux groupes, ou tribus, de population différente. La race la plus répandue est celle des pygmées Africains. Ce sont des gens de petite taille ne dépassant généralement pas les 1,50 mètres.

36

Comment les pygmées trouvent-ils à se nourrir ?

Les pygmées sont en majorité des chasseurs qui vivent de leur gibier. Les femmes cueillent des fruits et font provision de racines. Ils mangent aussi du poisson et échangent parfois avec les fermiers des environs de la viande contre des légumes.

Les pygmées chassent avec des arcs et des flèches ou des lances. S'ils chassent un animal très vivace qui risque de leur échapper, ils enduisent les pointes de leurs projectiles d'un poison. Ils utilisent aussi des filets pour capturer les animaux avant de les tuer et de les manger. Toutes les familles fabriquent des filets qui sont reliés ensemble. On fait fuir les animaux jusque dans ces filets et une fois pris et dépecés, leur chair appartient à l'ensemble de la tribu.

Les pygmées partagent-ils toujours leur nourriture ?

Oui, les pygmées partagent tous leurs biens et ne conçoivent pas d'autre mode d'existence que la vie collective. Si deux personnes se disputent, la tribu règle publiquement l'affaire. Il n'y a pas de chef. Les pygmées sont en général des gens pacifiques.

es hommes pygmées travaillant dans le cadre de leur village

Comment sont faites les bâtisses des pygmées ?

Pour construire leur habitat, les pygmées dressent des baguettes de bois qu'ils recourbent de façon à former un dôme qu'ils recouvrent ensuite de grandes feuilles qui servent aussi de litière. Des feuilles moins larges sont utilisées comme tasses ou comme plats.

Comment sont vêtus les pygmées?

Le peu de vêtements qu'ils portent, car il fait très chaud dans leur pays, sont fabriqués à partir de l'écorce de l'arbre bongi, que l'on bat et que l'on étire avant de la traiter.

Les enfants pygmées vont-ils à l'école ?

Il n'y pas d'école dans la jungle, mais les pygmées apprennent à leur enfants comment chasser et trouver de la nourriture.

LES HABITANTS DU SAHARA

Quel est le plus grand désert du monde ?

Le plus vaste désert du monde est le Sahara, en Afrique du Nord. Sa superficie est égale à celle de tout le territoire des États-Unis. "Sahara" signifie à la fois "désert" et "étendue vierge" en arabe, la langue de la plupart de ses habitants. Une étendue vierge est un territoire qui n'a pas été exploité ou transformé par l'homme. Il y a bien, dans le Sahara moderne, quelques villes, des usines, des mines et des champs pétrolifères, mais la plus grande partie reste désertique et sauvage. Il est très difficile d'y vivre.

Certaines parties du Sahara sont sablonneuses, d'autres sont rocailleuses, mais partout il fait très chaud et ensoleillé le jour et froid la nuit.

Une dune de sable dans le désert du Sahara.

Le Sahara est-il entièrement recouvert de sable ?

Non. Quoiqu'on en pense, le Sahara n'est pas entièrement formé de sable ! La plus vaste partie de sa superficie est recouverte d'une masse de petites pierres, de poussière et par endroits de pousses d'alfa. Le sable se situe plus au centre du Sahara.

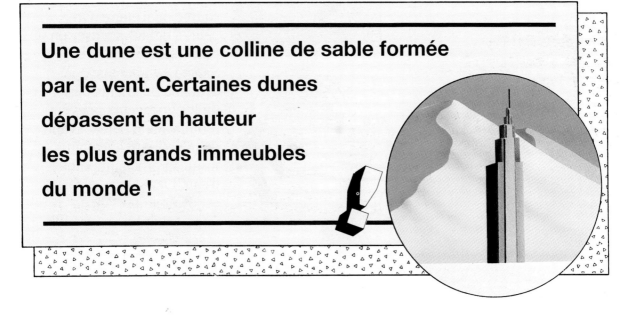

Une dune est une colline de sable formée par le vent. Certaines dunes dépassent en hauteur les plus grands immeubles du monde !

Qui vit dans le désert du Sahara ?

Le Sahara est habité par trois peuples distincts. Les Maures vivent à l'ouest, les Touaregs au centre et les Tibbus à l'est. Chacun de ces peuples parle une langue différente et a ses propres coutumes, mais comme ils vivent tous dans le même pays aride et peu accueillant, leur mode de vie est semblable.

Un nomade africain

Il y a des milliers d'années, le Sahara n'était pas désertique. D'anciens dessins représentaient, dans des grottes sahariennes, des hommes naviguant en canoë !

Comment les gens du désert trouvent-ils de l'eau ?

Même dans le désert, on trouve par endroits de l'eau sous le sol. On appelle ces endroits des oasis. L'eau peut y monter à la surface sous forme de source ou d'étang. On peut, à défaut, creuser un puits pour la tirer. Le Sahara compte une centaine de grands oasis, où les voyageurs peuvent remplir leurs outres avant de poursuivre leur route jusqu'au prochain point d'eau. L'eau dans le désert est d'une importance vitale, et nul ne la gaspille.

QUE SUIS-JE VENU FAIRE SOUS CETTE GALÈRE ?

Comment les gens du désert se nourrissent-ils ?

Certaines personnes vivent près des oasis et y cultivent des céréales. Ils utilisent des fossés ou des tuyaux pour faire venir l'eau d'une source ou d'un puits jusque dans leurs champs. On appelle ce système l'irrigation. D'autres habitants du désert voyagent sans cesse d'un point à un autre du territoire. Ce sont les nomades. Ils élèvent des troupeaux de bétail et s'approvisionnent en vivres dans les oasis ou auprès des marchands des villes.

Les gens du désert peuvent acheter des légumes et du grain dans des épiceries comme celle-ci, aux abords d'une ville.

Pourquoi les nomades voyagent-ils d'une région à l'autre ?

Les nomades se déplacent en général pour trouver de la nourriture pour eux-mêmes et pour leurs troupeaux de dromadaires, de moutons ou de chèvres, qui ont vite fait de raser les rares plantes qu'ils peuvent trouver. Il faut alors chercher d'autres pâturages qui sont parfois très éloignés. Certaines tribus se déplacent entre le sud et le nord suivant les saisons, ou gagnent en été les hauts-plateaux pour échapper à la fournaise des plaines pourtant fertiles l'hiver.

Comment font les nomades pour tout transporter avec eux ?

Les vivres et les biens sont transporté à dos de dromadaire. Un dromadaire est une puissante bête de somme d'une grande utilité aux nomades du désert. Ses larges pattes feutrées ne s'enfoncent pas dans le sable, et il voyage facilement sur les terrains les plus difficiles. Le dromadaire peut aussi se passer de boire pendant de longues périodes, entre sept et dix jours lorsqu'il voyage. Et quand il y a peu de nourriture, il vit sur des réserves de graisse qu'il porte dans sa bosse.

Comme les dromadaires sont capables de porter sans peine de lourdes charges, les gens du Sahara s'en servent à des fins commerciales et leur font transporter les marchandises à travers le désert. Ces gens sont des marchands, qui voyagent souvent en groupe. Ils forment des caravanes qui leur offrent une meilleure protection que s'ils voyageaient seuls.

En hiver, un dromadaire inactif peut se passer d'eau pendant près de deux mois !

Comment les dromadaires aident-ils encore les nomades ?

Les dromadaires ne servent pas seulement à transporter les vivres, ils constituent aussi une nourriture ! Car les nomades boivent leur lait et mangent leur chair. Ils tannent aussi leur peau pour en faire des tentes, tissent des vêtements de laine avec leur poil, et voyagent sur leur dos.

A quoi ressemblent les maisons des nomades ?

Les nomades vivent en majorité dans des tentes faites de peaux de dromadaires soutenues par de longs bâtons. Lorsqu'il est temps de lever le camp, les nomades plient leurs tentes et les chargent sur les dos des dromadaires. Comme ils passent leur temps à voyager, les nomades ne sont pas équipés du même genre de mobilier que nous. Le tapis constitue chez eux l'essentiel, car il leur sert à la fois de table, de siège et de lit.

IL NE BOUGERA PAS TANT QU'ON NE LUI DONNERA PAS D'EAU.

A force de marcher sur du sable brûlant, les pieds des nomades deviennent très résistants.
A tel point qu'ils peuvent les poser sur un feu doux sans ressentir de douleur.

Les enfants des nomades vont-ils à l'école ?

Les autorités de certains États sahariens envoient des enseignants dans les camps de nomades pour dispenser aux enfants des cours élémentaires, mais le système de classes tel que tu le connais n'existe pas dans le désert.

Une famille arabe se réunit autour d'un plat de riz.

Que mangent les nomades ?

Quand les gens du désert accueillent un ami ou un voyageur sous leur tente, ils leur offrent presque toujours à boire et à manger, car les nomades sont très hospitaliers. A l'occasion d'une fête, ils font rôtir un agneau ou un mouton tout entier à la broche, dont on arrache des morceaux de viande succulente pour les manger avec la main droite. Ce mets particulier s'appelle le méchoui, souvent accompagné d'un plat de couscous, sorte de semoule que l'on garnit de légumes bouillis et de pois-chiches.

Le beurre et le fromage de dromadaire sont des aliments courants. Le fromage est fait à partir du lait de dromadaire, mais il n'en est pas de même pour le beurre. Le beurre du dromadaire est le gras que l'on extrait de sa bosse une fois qu'on l'a tué. Les nomades l'étalent sur certains plats ou le mangent tel quel avec les doigts. Ils boivent du thé sucré, du lait de chèvre ou de dromadaire, et du café.

Traversons à présent l'Océan Atlantique de l'Afrique à l'Amérique du Sud. Ce continent est envahi de villes aux gratte-ciel modernes, mais il est aussi recouvert en grande partie d'une des merveilles naturelles du monde : l'immense forêt vierge.

LES MERVEILLES D'AMERIQUE DU SUD

LES PAYS D'AMERIQUE DU SUD

Guyane

Venezuela

Surinam

Guyane Française

Colombie

Équateur

Pérou

Brésil

Bolivie

Paraguay

Chili

Uruguay

Argentine

AH, QUE J'AIME LES TROPIQUES !

Combien l'Amérique du Sud compte-t-elle de pays ?

Il y a 13 pays en Amérique du Sud. L'Argentine est connue pour ses immenses ranchs d'élevage et le Brésil pour la culture du café. C'est sur ce continent, au Pérou, que la civilisation Inca a connu son apogée plusieurs siècles avant l'arrivée des premiers explorateurs européens. Les Incas étaient de grands constructeurs. Ils ont édifié des pyramides immenses que nous pouvons encore admirer de nos jours. Des cimes des Andes aux plages du Brésil, l'Amérique du Sud est peuplée de nombreux groupes de gens extraordinaires. Allons à la rencontre d'une de ces peuplades, les Indiens d'Amazonie qui vivent dans la forêt vierge.

Quel est le plus grand pays d'Amérique du Sud ?

C'est le Brésil, qui occupe presque la moitié du continent. Il y a des Brésiliens qui habitent dans les grandes cités et d'autres qui vivent à l'état primitif dans la forêt vierge.

LES HABITANTS
DE LA FORÊT VIERGE

Une brume matinale flotte au-dessus de la forêt tropicale d'Amazonie. Les termes tropiques et tropical sont souvent utilisés pour décrire les régions chaudes autour de l'équateur.

Qu'est-ce que la forêt vierge ?

La forêt vierge est un endroit chaud et humide où il pleut très souvent et où les arbres abondent. A cause de la pluie, les arbres poussent hauts et serrés les uns contre les autres. Le feuillage à leur sommet est si dense qu'il ne laisse pas passer le vent, ce qui rend l'atmosphère lourde et inconfortable. Le feuillage ne laisse pas non plus filtrer les rayons du soleil, et comme les plantes en ont absolument besoin pour vivre, il n'y a dans la forêt vierge pratiquement aucune végétation au ras du sol.

Il est par conséquent facile de marcher dans ces sous-bois ombragés. La forêt vierge abrite de nombreuses espèces d'animaux ; des oiseaux, des crocodiles, des tapirs, des lézards, des serpents et de gros félins qu'on appelle des jaguars. Elle pullule aussi de milliers d'insectes différents, dont certains sont nocifs pour l'être humain, sinon dangereux.

La forêt vierge la plus vaste se trouve en Amérique du Sud, en bordure du fleuve Amazone. La plus grande étendue se situe au Brésil, mais elle empiète sur huit autres pays. Elle s'étend sur une longueur totale de 5 000 km environ.

La forêt vierge, est-ce une jungle ?

Non. La jungle représente en fait une partie de la forêt vierge, la partie la plus épaisse et la plus impénétrable. Elle pousse généralement là où de grands arbres ont été abattus. Peu après le déboisement, de nombreuses plantes croissent très rapidement à la lumière du soleil. Elles poussent les unes sur les autres et leurs branchages s'entremêlent, ce qui rend la progression dans la jungle extrêmement difficile.

46

Combien tombe-t-il de pluie sur la forêt vierge d'Amazonie ?

Il en tombe énormément ! Par endroits, il peut tomber près de 2500 millimètres de pluie en moyenne par an, soit plus de deux fois la précipitation annuelle sur Brest et quatre fois celle sur Paris.

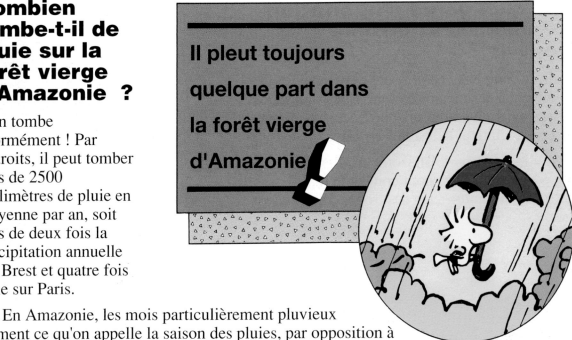

Il pleut toujours quelque part dans la forêt vierge d'Amazonie !

En Amazonie, les mois particulièrement pluvieux forment ce qu'on appelle la saison des pluies, par opposition à la saison sèche, qui n'est pas si sèche que ça : elle est simplement moins mouillée !

Qui vit dans la forêt vierge d'Amazonie ?

La forêt vierge est peuplée de tribus indiennes bien différentes de celles d'Amérique du Nord. La peau des Amazoniens est plus sombre et leurs corps sont plus courts et ramassés. Parce qu'ils vivent dans la forêt vierge, leur façon de vivre est particulière et leur langue tout à fait différente de celle de leurs cousins du continent nordique.

Il y a peu de temps encore, les Indiens d'Amazonie vivaient exactement comme leurs ancêtres il y a plusieurs milliers d'années. La forêt dense et impénétrable les tenait isolés du reste du monde. Mais aujourd'hui, la vie de l'Indien d'Amazonie est en train de changer.

Ce père amazonien et son fils vivent dans la forêt vierge.

Dans quel genre d'habitation les Indiens d'Amazonie vivent-ils ?

Certains d'entre eux construisent des maisons qui ressemblent à des meules de foin. Elles sont faites de feuilles de palmier ou d'herbe séchées. Une fine charpente maintient la "paille" en place.

D'autres Indiens d'Amazonie n'utilisent les feuilles de palmier que pour couvrir le toit. Ils construisent les murs avec des troncs d'arbre ou de la boue.

Que trouve-t-on à l'intérieur de ces maisons?

Chaque maison possède une grande chambre dont le sol est en terre battue. Quelques tronçons d'arbre servent de tabourets, et des hamacs sont suspendus pour y dormir. Parce qu'il n'y a pas de fenêtres, il fait sombre à l'intérieur de la maison. Parfois, les Indiens d'Amazonie font un feu pour cuisiner à l'intérieur, mais la plupart du temps, ils font cuire leur nourriture à l'extérieur.

Les maisons abritent généralement toute une famille, y compris les grands-parents, les oncles, les tantes et les cousins. Chacune peut compter parfois jusqu'à 70 occupants !

Que mangent les indigènes de la forêt vierge ?

Les Indiens d'Amazonie mangent beaucoup de fruits et de légumes, qu'ils cultivent dans leurs potagers ou qu'ils cueillent dans la forêt. Pour assurer leur nourriture, ils pratiquent aussi la chasse et la pêche.

Le maïs et le manioc sont les principales cultures de la forêt vierge amazonienne. C'est à partir du manioc que l'on fait du tapioca, grâce auquel tu peux déguster de succulents desserts. Les Indiens en font des gâteaux. Ils font rôtir le maïs ou en font de la soupe après l'avoir pilé. Ils cultivent aussi la patate douce.

Les arbres de la forêt fournissent à ses habitants des fruits et des noix, et les abeilles leur donnent du miel. Certaines tribus d'Amazonie recherchent les essaims d'abeilles dans les arbres, coupent les troncs lorsqu'ils en trouvent, prennent le miel directement dans l'essaim et le mangent.

Les Indiens mangent aussi des cochons sauvages, des singes, des armadillos, des tortues et des poissons. Ils font cuire la viande et les poissons à la broche, sur un feu en plein air.

Dans les eaux de l'Amazone sévissent les redoutables piranhas. Un de ces poissons tient facilement dans ta main, mais une bande entière peut te dévorer en quelques minutes !

Les Indiens d'Amazonie chassent-ils avec des fusils ?

Oui, de nos jours ils utilisent parfois des fusils à chevrotine pour chasser le gros gibier, mais pour les oiseaux, les poissons et les petits animaux, ils utilisent leurs armes traditionnelles : des lances, des arcs et des flèches ou bien des sarbacanes.

Ce sont des chasseurs très adroits, capables d'atteindre de leurs flèches ou fléchettes un animal très rapide à des distances étonnantes. Ils attrapent même le poisson sans difficulté à l'aide d'un arc !

Les chasseurs de la forêt vierge façonnent de longues flèches avec des pousses de bambou. Avec d'étroites bandes de bois de palmier, ils fabriquent les cordes de leurs arcs, dont certains mesurent près de 1m 80 de long et dépassent de loin la taille des chasseurs qui les utilisent !

Une sarbacane est une longue tige de bambou creuse par laquelle le chasseur envoie des fléchettes empoisonnées.

49

Les Indiens d'Amazonie se déplacent souvent dans la forêt vierge en barque.

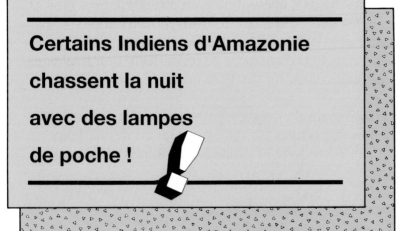

Certains Indiens d'Amazonie chassent la nuit avec des lampes de poche !

Est-il vrai que les Indiens d'Amazonie ne sont pas amicaux ?

D'une manière générale, ces Indiens se méfient des étrangers, car ils ont été jadis blessés et souvent tués par des explorateurs ou réduits en esclavage par ceux qui venaient dans la forêt vierge prélever la sève des arbres à caoutchouc.

D'autres Indiens sont plus timides et farouches que méchants. La vue de gens qui ne leur ressemblent pas leur fait peur. Mais dans l'ensemble, les habitants de la forêt apprennent à accepter les visiteurs avec lesquels ils se lient parfois d'amitié.

Est-il vrai que les Indiens d'Amazonie ne portent pas de vêtements ?

Beaucoup d'Indiens de la forêt vierge portent en effet peu ou pas de vêtements. Certains s'ornent d'une ceinture, de bracelets, de bijoux et de bandeaux autour de la tête. Ils portent en général un simple pagne autour de la taille.

A l'occasion d'une fête, les natifs de la forêt amazonienne colorient leurs corps de différentes teintures extraites de plantes de la jungle. Certains motifs symbolisent un animal auquel l'individu s'associe selon une croyance locale.

Qui éduque les enfants de la forêt vierge ?

Les enfants sont élevés par leurs parents, des amis de la famille ou d'autres enfants plus âgés, mais personne ne leur enseigne la lecture, l'écriture ni les mathématiques. Ils apprennent en revanche à vivre dans la forêt et les choses qu'ils devront savoir quand ils seront adultes. Les filles apprennent à semer le grain, à récolter le miel et les fruits, à faire cuire la nourriture et même à tisser. Les garçons s'entraînent très tôt à la chasse et à la pêche.

Il y a aujourd'hui quelques écoles modernes dans la forêt amazonienne. Le gouvernement brésilien commence à en faire construire et, comme toi, les enfants y apprennent à lire et y passent des examens.

Les enfants d'Amazonie ont-ils des jouets ?

Parfois, mais ils sont obligés de les fabriquer eux-mêmes, quoique leurs parents les aident quelquefois. Ils utilisent des tiges de maïs, des morceaux de bois, des ossements et tout ce qui leur tombe sous la main pour créer des poupées, des animaux ou même des ballons.

Les Indiens d'Amazonie qui participent à une course de relais doivent porter sur l'épaule une bûche de près de 3 kilos

ET CE N'EST PAS FACILE !

Comment soigne-t-on les malades dans la forêt vierge ?

Les Indiens d'Amazonie croient pour la plupart que ce sont de mauvais esprits qui créent la maladie. Aussi s'adressent-ils à un sorcier, qui tente de guérir le malade en négociant avec les esprits et en administrant des cures naturelles. Les villages de la forêt vierge n'ont ni dispensaire, ni médecin ni infirmière. Parfois, une unité d'assistance médicale parcourt les zones accessibles en apportant des soins aux villages isolés, et dans ce but on forme aujourd'hui de plus en plus d'infirmières et d'équipes médicales .

Des métropoles surpeuplées aux fermes isolées en passant par de pittoresques ports de pêche, l'Amérique du Nord a tout pour satisfaire les goûts de chacun. Un territoire sera particulièrement intéressant à visiter, si tu ne crains pas le froid. Viens. Suivons Snoopy à travers les étendues enneigées du pays des Esquimaux.

DERNIERE ETAPE : L'AMERIQUE DU NORD

ES HABITANTS
D'AMERIQUE DU NORD

États-Unis
(Alaska)

Canada

États-Unis

Bahamas

Cuba

République
Dominicaine

Mexique

Jamaïque

Belize

Haïti

Puerto
Rico

Honduras

Nicaragua

Guatemala

Panama

El Salvador

Costa
Rica

uels sont les
ays
Amérique du
ord ?

y a d'abord trois grands
ys, le Canada, les États-
is et le Mexique qui
cupent toute la partie
rd du continent.
Amérique du Nord
clut aussi un groupe de
ys plus petits, situés au
d du Mexique et qui
ment l'Amérique
ntrale.

ES ESQUIMAUX DU CANADA

ui vit dans la partie la plus froide
Amérique du Nord ?

sont les Esquimaux ou, comme ils s'appellent eux-mêmes, les Inuits. Ils vivent au
nada, en Alaska et au Groenland. On appelle ces pays très froids, proches du Pôle
rd, les régions arctiques. On ne compte pas plus de 50 000 Esquimaux dans le
nde entier.

Les Esquimaux connaissent-ils parfois un temps chaud ?

Oui. La partie nord du continent se réchauffe en été, mais il n'y fait jamais très chaud. La température moyenne tourne autour des 10 degrés centigrades, ce qui n'est pas très élevé. Parfois cette température estivale tombe en dessous de zéro, et il gèle. Et de temps à autre, il neige. Même si le sol n'est pas constamment recouvert de neige, il reste gelé juste sous la surface tout au long de l'année.

Seules des plantes très résistantes peuvent pousser pendant la courte période d'été, mais il existe malgré tout plusieurs espèces de plantes arctiques.

Les Esquimaux portent des vêtements chauds parfois assez colorés.

Les Esquimaux vivent-ils dans des igloos ?

Si les Esquimaux modernes logent pour la plupart dans des maisons, certains d'entre eux vivent encore dans des igloos. L'été, ils se réfugient sous des tentes. Mais tous savent encore comment édifier un igloo à partir de blocs de glace. Dans un igloo, même les lits sont taillés dans des blocs de glace !

Comment s'habillent les Esquimaux pour se tenir chaud ?

Les Esquimaux s'emmitouflent dans des vêtements chauds doublés de fourrure, et ils dorment sous des couvertures de fourrure. Par temps extrêmement froid, les Esquimaux doublent la quantité de vêtements qu'ils portent habituellement. Ils placent la première couche de fourrure contre leur peau. La fourrure de la deuxième couche est placée à l'extérieur. Les Esquimaux se chaussent aussi de bottes doublées de fourrure, qu'on appelle des mukluks. La semelle extérieure est en peau de phoque ou de morse, tandis que le dessus est en toile ou en peau de caribou. Le caribou est une espèce animale semblable au daim, qui vit dans les régions arctiques.

Un traineau tiré par des chiens

Comment les Esquimaux se déplacent-ils sur la neige ?

Jadis, les Esquimaux voyageaient tous sur des traîneaux tirés par des chiens. Si certains le font encore aujourd'hui, la majorité d'entre eux circulent en moto-neige. Pour couvrir des distances plus longues, ils prennent des avions montés sur skis, ce qui leur permet d'atterrir sur la glace.

Sur l'eau, les Esquimaux se déplacent en bateaux à moteur, en kayaks ou en umiaks. Les kayaks et les umiaks sont des embarcations faites de peaux tendues sur des châssis de bois.

A quels jeux jouent les Esquimaux ?

Les Esquimaux jouent souvent à l'intérieur, où il fait plus chaud. Un de leurs jeux rappelle les fléchettes : on perce des trous dans des cornes de caribou que l'on suspend au plafond, et le jeu consiste à lancer des bâtons dans ces trous.

Malgré le froid, il leur arrive de jouer aussi dehors, dans la neige ou sur la glace. Les enfant aiment bien faire des glissades sur les pentes. Ils pratiquent aussi la luge, le patin et le hockey sur glace.

Existe-t-il des écoles pour les enfants esquimaux ?

Oui, il y a des écoles, mais seulement dans les agglomérations importantes. Pour suivre des études, les enfants habitant les petits villages sont obligés de quitter leurs familles. Lorsqu'ils sont en âge d'aborder l'enseignement secondaire, ils se rendent dans la ville où se trouve l'établissement scolaire. Les enfants de plusieurs villages sont regroupés dans un même bâtiment. Généralement, ils ne sont guère plus d'une trentaine. A la fin de l'année scolaire, ils regagnent leurs villages respectifs.

DIS MOI CHARLIE BROWN

SIBÉRIE, À NOUS DEUX !

LA GRANDE MURAILLE DE CHINE

● La Communauté des États Indépendants chevauche deux continents, l'Asie et l'Europe. La partie asiatique comprend essentiellement l'immense étendue de la Sibérie, qui fait partie de la Russie. Elle n'est pas très peuplée parce qu'il y fait très froid. La plupart des États membres se trouvent en Europe, où l'on trouve les principales villes.

● La Grande Muraille de Chine mérite bien son nom. Cette véritable merveille du monde s'étend sur près de 3 500 km sans compter ses longues ramifications. Le mur, fait de terre et de pierre, large de 10 mètres, s'élève par endroits jusqu'à 12 mètres au-dessus du sol ! La Grande Muraille a été érigée sur l'ordre d'un empereur chinois, pour empêcher les incursions de redoutables cavaliers Mongols dans le pays .

C'EST UNE BIEN GRANDE MURAILLE QUE LA TIENNE, LINUS !

ALLÔ CHARLIE, EST-CE QU'ON PEUT ÉCHANGER DES ÉQUIPIERS ?

J'AIME PAS LE BASE BALL !

OUI, JE TROQUERAIS BIEN MARCIE CONTRE LUCY. D'ACCORD, ELLE N'EST PAS TRÈS FORTE...

À BAS LE BASEBALL.

© 1988 United Feature Syndicate Inc.

MAIS ELLE DEBORDE D'ENTHOUSIASME...

OH, JE DETESTE LE BASE BALL !

• Lorsqu'à l'école, vous échangez des billes ou des images, vous pratiquez un système qu'on appelle le troc. On a troqué, par le passé, tout ce que tu peux imaginer : des perles, des coquillages, des peaux de bêtes, des plumes, des victuailles... De nos jours, les pays utilisent pour la plupart les monnaies émises par leurs gouvernements. L'argent porte, sous forme de pièces ou de billets, des emblèmes et des symboles qui ont une signification pour les habitants du pays. Mais on n'utilise pas l'argent partout. Il existe encore des endroits où l'on troque un poulet contre une pièce de tissu ou un sac de pommes contre une hache.

• La ville de Mexico est en train de sombrer ! La capitale du Mexique a été construite sur un plateau au dessus d'une vaste nappe d'eau. Cette eau est pompée hors du sol pour être bue, et au fur et à mesure que le niveau de l'eau baisse, le sol s'abaisse aussi. Il en est de même pour les rues et les bâtiments à la surface. Depuis le début du siècle, certains quartiers de Mexico se sont enfoncés de 10 mètres !

• Les chiens esquimaux couchent dehors, même par les temps les plus froids. C'est qu'ils ont une fourrure très épaisse. De plus, pour pouvoir dormir au chaud, ils tournent plusieurs fois sur eux-mêmes jusqu'à ce qu'ils aient formé un creux dans la neige. Ils s'y blottissent pour la nuit, à l'abri du vent.

MOI JE PRÉFÈRE UNE BONNE COUVERTURE BIEN CHAUDE !

INTRODUCTION

Aimerais-tu savoir comment on fabrique du tissu, pourquoi les reines portent des couronnes ou à quoi ressemble un costume zazou ? Charlie Brown et ses joyeux compagnons sont là pour t'aider à découvrir tous les mystères concernant les vêtements et les diverses façons de s'habiller. Amuse-toi bien !

CONTENU

On porte des vêtements pour des raisons différentes. Charlie Brown porte un tricot pour avoir chaud. Sally met une jolie robe avec un beau ruban pour être belle. On porte un chapeau pour se protéger du froid ou pour se protéger du soleil. Sais-tu comment on fabriquait les premiers vêtements ? Nous allons te l'apprendre !

POUR FAIRE LE POINT

DU TISSU, DU FIL ET DES AIGUILLES

Qui a inventé le tissu ?

On l'ignore. Mais on sait qu'il y a 5 000 ans, les Africains fabriquaient déjà du tissu avec de l'écorce. Bien avant que Christophe Colomb ne découvre le Nouveau Monde, ses habitants s'enveloppaient d'étoffes à base d'écorce, et rien ne prouve que des peuplades plus anciennes n'en aient pas fait autant, il y a bien longtemps.

Pour fabriquer ces tissus, Africains et Indiens d'Amérique procédaient de la même façon. Ils commençaient par entrecroiser des morceaux d'écorce mouillée et les écrasaient avec de grosses pierres pour coller les minuscules fibres d'écorce les unes aux autres. Ils formaient ainsi une trame de tissu. De nos jours, certaines tribus d'Afrique fabriquent encore leurs vêtements de cette façon.

L'araignée tisse sa toile avec le fil produit par ses glandes spéciales.

Qui a inventé le fil ?

Le fil est produit naturellement par des vers, des insectes et des araignées. L'araignée, par exemple, a des glandes spéciales qui lui permettent de créer le fil qu'elle tisse pour faire sa toile. Le fil est issu de minuscules organes, les filières, placés à l'arrière de son corps.

Les premiers êtres humains à fabriquer du fil se sont probablement inspirés, pour le tisser, de la technique de l'araignée. Mais il leur fallait avant tout des fibres pour leur permettre de fabriquer le fil.

Quelles fibres faut-il pour fabriquer du fil ?

Les fibres de toute plante longue et filandreuse conviennent en principe à la fabrication de fils. Tu peux toi-même faire du fil avec de hautes herbes ou des roseaux. Il faut les suspendre pendant deux ou trois semaines dans un endroit sec et frais. Quand ils sont très secs, tu peux séparer les fibres et les tresser de manière à former du fil. Le lin, le chanvre et le coton sont des plantes que l'on cultive pour utiliser leurs fibres. Celles du chanvre servent surtout à fabriquer de la corde, celles du coton et du lin à produire les fils qui forment les tissus du même nom.

La laine de ces lamas peut servir à fabriquer du fil.

Peut-on fabriquer du fil avec du poil de chien ?

Ce serait possible, à condition d'en obtenir des quantités suffisantes car il en faut beaucoup pour faire une bonne pièce de tissu. Si ton chien perd ses poils, tu peux toujours les ramasser et essayer de les tisser, mais attention : n'essaie pas d'en obtenir par d'autres moyens ; ton chien risquerait de ne pas se prêter volontiers à l'expérience.

Quelles fibres animales servent à produire du fil ?

Le fil peut être fabriqué avec du poil de n'importe quel animal. Les anciens peuples d'Asie utilisaient la laine de mouton, de chameau ou de bouc. Les premiers Américains du Sud se servaient de celle des animaux sauvages qui peuplaient les montagnes, comme le lama, la vigogne et l'alpaga. Ces animaux de la famille de la chèvre vivent encore dans la Cordillère des Andes en Amérique du Sud.

Les Indiens d'Amérique du Nord fabriquaient leur fil avec du poil de cheval et d'élan ou de la laine de buffle.

QU'ON ESSAIE DE FAIRE DU FIL AVEC MON POIL !

Qu'est-ce que la filature ?

La filature consiste à tordre ensemble de nombreuses fibres pour obtenir une bonne longueur de fil. Ce travail s'est fait pendant des siècles à l'aide d'un rouet, qui ne permettait pas de produire plus d'un fil à la fois. Aujourd'hui, de grandes fabriques, les filatures, utilisent d'immenses machines pour produire des centaines de fils à la fois.

Voici comment se fabrique le fil. Les fibres sont alignées de manière à ce que l'extrémité de chaque fibre chevauche le début de la fibre suivante. Lorsqu'on tord les fibres ensemble, elles s'enchevêtrent. Plus elles se chevauchent, plus le fil sera solide. Des fibres supplémentaires peuvent être ajoutées pour donner plus d'épaisseur au fil.

> DIRE QUE CE FIL SERA BIENTÔT TON UNIFORME, CHEF.

Qui a trouvé comment fabriquer du tissu avec du fil ?

Ce sont sans doute des pêcheurs égyptiens qui ont fait cette découverte, voici près de 5 000 ans. Ils tressaient des filets en nouant des fils. Ces filets ont sûrement constitué les premières trames de tissu.

Où a-t-on trouvé des aiguilles pour coudre ?

Bien avant la découverte du métal, les hommes préhistoriques taillaient des aiguilles dans du bois ou de l'os. Ceux qui vivaient près de la mer utilisaient des arêtes de poisson ou des fragments de coquillage, et les gens du désert se servaient d'épines de cactus.

Les Européens disposaient déjà d'aiguilles en métal il y a 2 500 ans. En revanche, les Indiens d'Amérique ont dû attendre l'arrivée des Européens pour découvrir l'outil de métal. Il y a de cela quelques centaines d'années seulement.

Les hommes préhistoriques taillaient leurs aiguilles dans le bois.

LE TISSAGE

Qui a inventé le tissage ?

On ne le sait pas très bien. Le tissage est une façon particulière d'assembler des fils pour fabriquer du tissu. Le procédé a peut-être été découvert par des fabricants de filets, qui attachaient des poids à l'extrémité de leurs fils pour empêcher qu'ils ne s'emmêlent. Ces poids tendaient aussi les fils pendant que les artisans travaillaient. C'est sans doute ce qui a inspiré celui qui a finalement mis au point le métier à tisser.

Qu'est-ce qu'un métier à tisser ?

Son nom indique clairement sa fonction. Le métier à tisser maintient des rangées de fils fortement tendues. Ce sont les fils de chaîne. Un autre fil, le fil de trame, passe tour à tour au-dessus et en dessous des fils de chaîne, dessinant un motif et formant ainsi le tissu.

Un métier à tisser avec les fils de chaîne bien visibles.

65

Snoopy n'a jamais à se soucier de sa tenue, car il est toujours chaudement vêtu ! Les êtres humains, quant à eux, ont eu toutes sortes d'idées au fil des siècles sur la façon dont il convient de s'habiller. Allons nous informer, avec Snoopy, sur les divers styles vestimentaires à travers les âges.

HIER, AUJOURD'HUI ET DEMAIN

LES PREMIERS VÊTEMENTS

A quoi ressemblaient les premiers vêtements ?

C'étaient surtout des peaux de bête et des fourrures, que l'on enroulait autour de la taille, comme tu le fais avec ta serviette de bain. Tu as probablement vu des images d'hommes préhistoriques vêtus ainsi. Ils se recouvraient également les épaules de la même manière, pour avoir chaud. L'un des premiers vêtements identifiés était la tunique, que les habitants d'Asie centrale portaient il y a quelques 5 000 ans.

Qu'est-ce qu'une tunique ?

Une tunique est une longue chemise constituée de deux morceaux de fourrure ou de tissu, le premier se portant devant, l'autre sur le dos. Les deux pièces sont cousues entre elles aux épaules et sur les côtés. Une tunique peut être longue ou courte. Dans la Grèce antique, il y a plus de 2 500 ans, les hommes portaient la tunique juste au - dessus du genou, tandis que celle des femmes descendait jusqu'à terre.

Les Grecs anciens portaient-ils des sous-vêtements ?

Une personne pauvre ne portait que la tunique, qui lui servait à la fois de sous-vêtement et de tenue extérieure. Une personne riche portait la tunique comme sous-vêtement et la recouvrait d'un himation, ou toge.

Qu'est-ce qu'une toge ?

Une toge est un grand morceau de tissu, comparable à un drap, que l'on portait sur une épaule, ou sur les deux. On l'a longtemps portée dans la Grèce et la Rome antiques. La toge d'un citoyen ordinaire était plus petite que celle d'un homme riche. Celui-ci drapait sa toge plusieurs fois autour de son corps. L'homme ordinaire ne l'enroulait qu'une fois. De nos jours, on porte encore, dans certains pays d'Afrique, des vêtements semblables à la toge.

Dans la Grèce antique puis à Rome, les hommes et les femmes portaient la toge.

AÏE, C'EST QUE ÇA BRÛLE !

Les Grecs anciens marchaient généralement pieds nus, même dans la rue !

De quelle autre manière les vêtements indiquaient-ils le rang d'une personne ?

À Rome, sous l'Empire, la couleur de l'habit était le meilleur moyen de montrer la fortune de celui qui le portait. Les paysans n'avaient droit qu'aux gris ou aux marrons. Plus une personne était aisée, plus elle pouvait s'orner de couleurs. Les différentes couleurs indiquaient également les professions.

Comment la couleur révélait-elle le métier de quelqu'un ?

Dans l'ancienne Rome, les divers métiers affichaient différentes couleurs vestimentaires. Voici quelques exemples.

pourpre, or	royauté
rayures pourpres	représentant officiel de la Cour
bleu	philosophe
noir	chef religieux
vert	médecin

Quelques riches Romaines portaient plusieurs tuniques de couleurs différentes les unes sur les autres, et les pliaient de manière à ce que chaque couleur se voie bien !

LES PANTALONS POUR HOMMES

Quand les hommes ont-ils commencé à porter le pantalon ?

C'est dans la Perse antique, il y a 2 500 ans qu'hommes et femmes, sans distinction, ont commencé à porter le pantalon.

Les Perses entretenaient des liens commerciaux avec les peuples d'Asie centrale. Ceux-ci étaient essentiellement des nomades, qui n'avaient pas de domicile fixe et vivaient sous des tentes, en changeant régulièrement l'emplacement de leurs camps. Ces nomades portaient également le pantalon. Aujourd'hui, on ne sait pas très bien si ce sont les Perses qui ont copié les nomades d'Asie centrale ou si c'est l'inverse !

Et ailleurs, que portaient les hommes, avant le pantalon ?

Après la tunique, les Européens de sexe masculin ont porté des bas et des culottes. Celles-ci étaient courtes, amples et bouffantes. Les hommes portaient également des bottes montantes, de longues vestes et des capes.

Ce dessin montre un Européen portant une culotte particulièrement ample.

Au XVIIe siècle, les hommes portaient des chaussures à talons hauts et des bas bordés de rubans et de dentelles !

Quand les pantalons longs sont-ils devenus à la mode ?

Vers le début du XIXe siècle. Auparavant, seuls les ouvriers portaient le pantalon. Les hommes riches portaient au-dessus de leurs bas, une culotte qui leur arrivait au genou.

En 1789, ce fut la Révolution Française. Le peuple renversa la royauté et la noblesse. Ensuite, plus personne ne voulut paraître riche. C'est alors que les hommes se mirent à porter le pantalon.

Vestes, cravates, imperméables et costumes zazous

Quand les hommes ont-ils commencé à porter la veste ?

La veste moderne est apparue pour la première fois en Angleterre le 15 décembre 1660. Jusque-là, les Anglais avaient porté de courtes capes. Ils copiaient ainsi la mode française et importaient de nombreuses capes confectionnées en France.

Le roi Charles II d'Angleterre a décidé un beau jour que ses sujets ne devaient plus acheter de vêtements français. Le 15 décembre 1660, il fit son apparition à la cour vêtu d'une veste de style turc. Il savait que tous l'imiteraient et cesseraient de se fournir en vêtements ailleurs.

Le roi de France a été très irrité par l'initiative de Charles II en matière de mode. Pour se venger, il a fait porter des répliques de la veste du monarque anglais par tous les serviteurs de la Cour de France.

Pourquoi a-t-on inventé la cravate ?

La cravate n'était jadis qu'un bavoir. Lorsqu'on laissait tomber de la nourriture, elle tombait la plupart du temps sur la cravate, qui était plus facile à laver que la chemise. De fil en aiguille, la cravate est devenue un complément décoratif du costume masculin.

Qui a inventé l'imperméable ?

Ce sont sûrement des soldats, des bergers et d'autres personnes destinées à passer beaucoup de temps dehors, souvent par temps de pluie, qui ont inventé le manteau imperméable.

Le premier vêtement contre la pluie a été la cape. Il s'agissait d'un simple carré de tissu ou de cuir. Celui qui le portait a peut-être enduit le tissu ou le cuir de graisse animale pour le rendre imperméable. Quand il se mettait à pleuvoir, on se recouvrait la tête de sa cape. Jusqu'à ce qu'un Écossais du nom de MacIntosh invente enfin l'imperméable en 1819.

Quels styles ont marqué la mode masculine ?

Les hommes ont porté, à diverses époques, des capes très amples, des chapeaux ornés de très longues plumes d'autruche, des cols étroits et amidonnés, et une foule d'accessoires plus ou moins excentriques. Une des modes les plus tapageuses de ce siècle a été celle des zazous, des jeunes gens qui, dans les années 1930 et 1940, manifestaient entre autres une passion pour le jazz. Leur costume était généralement sombre avec de fines rayures claires, la veste était ample et descendait aux genoux et le pantalon, très large, montait haut sur la poitrine, retenu par des bretelles. Une longue chaîne de montre pendait jusqu'au sol et un large chapeau mou coiffait l'ensemble.

UN ZAZOU

JUPES A PANIERS, CORSETS, PANTALONS ET COLLANTS

Qu'était-ce qu'une jupe à paniers ?

C'était un jupon qui ressemblait à une cage. Les femmes en portaient sous leurs robes ou leurs jupes. Le jupon assurait au vêtement une courbe très arrondie de la même manière qu'un support métallique donne sa forme à un abat-jour. Certaines jupes à paniers se repliaient lorsque les dames s'asseyaient.

La mode de la silhouette bombée a longtemps précédé les paniers. Les femmes faisaient gonfler leurs robes en portant en dessous de nombreux jupons aussi épais que possible. Mais ce système n'était ni confortable, ni pratique. Un tel volume de tissus superposés entravait les mouvements. Ce n'est que vers les années 1700 que la jupe à paniers a allégé la toilette féminine.

Qu'est-ce qu'une taille de guêpe ?

Entre les années 1840 et 1900, on pensait qu'une femme, pour être belle, devait avoir la taille très fine. En revanche, elle devait être plus arrondie au-dessus et en dessous de la taille afin d'épouser plus ou moins la forme d'un sablier. A cette fin, les femmes portaient des jupes très amples, ou une tournure. La tournure était un rembourrage porté sous la robe, au bas du dos, souvent soutenu par un panier, qui s'affaissait quand la personne s'asseyait. La taille des femmes était comprimée par une ceinture à lacets portée sous la robe, le corset.

Une jeune femme commençait à se serrer la taille dès l'âge de 14 ans. Elle mettait son corset chaque matin, même si ce jour-là elle devait jouer au tennis ! En prenant de l'âge, elle serrait son corset de plus en plus. Elle empêchait ainsi sa taille de s'élargir. Certains tours de taille ne dépassaient pas 45 cm ! Celui d'une femme moderne mesure en moyenne 60 cm.

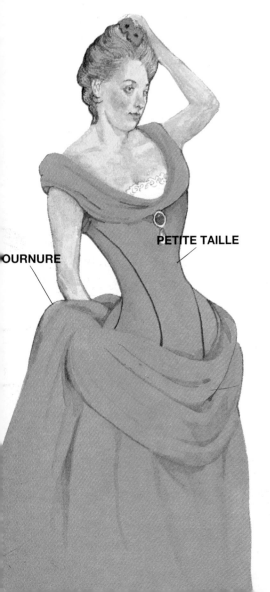

OURNURE

PETITE TAILLE

Dès 1800, les femmes portaient des corsets sous leurs robes pour réduire leur tour de taille et des tournures pour élargir leurs hanches. Le but était d'arborer une taille de guêpe.

Amelia Bloomer

Le corset ne gênait-il pas la respiration ?

Bien sûr que si. Le corset était certainement inconfortable et malsain. C'est pourquoi les femmes ont envisagé de s'habiller plus confortablement. En 1850, l'Américaine Amelia Bloomer a tenté de les encourager à porter des robes plus courtes sur des pantalons amples, en oubliant le corset. Ce fut la risée générale, et l'on donna son nom à ce type de pantalon. Mais Mme Bloomer a finalement eu gain de cause. Une cinquantaine d'années plus tard, les femmes se sont lassées de leurs carcans et ont choisi de porter des vêtements plus larges et plus simples.

Quand les femmes ont-elles commencé à porter le pantalon ?

Dans certains pays du monde, le pantalon fait partie de la tenue féminine depuis bien des siècles. En Europe et aux États-Unis, on a pensé jusqu'en 1920 que le pantalon ne convenait pas à la femme. En Amérique, les stars de cinéma ont contribué à inverser cette attitude, en portant des pyjamas amples en tissus lustrés pour se relaxer chez

elles ou sur la plage. Au début des années 1930, les femmes portaient couramment le pantalon pour pratiquer le sport ou faire la fête.

Lors de la Seconde Guerre mondiale, de 1939 à 1945, beaucoup de femmes ont travaillé dans les usines. Remplaçant ainsi les hommes partis faire la guerre, ces femmes ouvrières ont porté des salopettes et d'autres vêtements masculins. A la fin du conflit, les femmes s'étaient habituées au confort du pantalon et se sont mises à le porter de plus en plus souvent.

Les femmes portaient un pantalon pour travailler en usine pendant la Seconde Guerre mondiale.

Pendant la Seconde Guerre mondiale, on manquait de soie pour fabriquer des bas. Alors les femmes, pour faire semblant d'en porter malgré tout, se traçaient derrière les jambes une ligne simulant la couture d'un bas !

Quand a-t-on inventé les collants ?

On a porté des collants à partir de 1960, avec le succès de la minijupe, une jupe très courte que l'on peut voir encore de nos jours. Auparavant, les femmes portaient des bas soutenus par des porte-jarretelles. En nylon ou en soie, les bas étaient des sortes de longues chaussettes transparentes qui montaient haut sur la cuisse.

L'EVOLUTION DES STYLES

Pourquoi la mode change-t-elle ?

Les styles sont lancés par ceux qui conçoivent, fabriquent et vendent des vêtements. Les gens achèteraient moins souvent des habits neufs si le style vestimentaire ne changeait pas.

Certains styles s'imposent, puis disparaissent très rapidement. Ce sont eux qui dictent les modes. Celles-ci changent suivant les saisons. Deux fois par an, les grands couturiers français et italiens présentent leurs collections pour l'été suivant en hiver, et leurs idées pour l'hiver prochain en été. Ce décalage dans le temps permet aux clientes de préparer leur garde-robe et aux tailleurs et marchands de vêtements de passer leurs commandes.

De quelle manière la mode féminine évolue-t-elle ?

La longueur des jupes et des robes varie constamment. En 1950, les femmes portaient de larges jupes plissées qui descendaient en dessous du genou. Elles portaient plusieurs jupons en dessous pour en gonfler la forme. En 1960, les minijupes étaient bien plus simples et osées. Puis des jupes et des robes très longues sont apparues, mais comme elles se salissaient facilement par temps de pluie, elles ne se sont pas imposées. Les femmes réclamaient des jupes de longueur moyenne.

Aujourd'hui, la longueur des jupes varie d'une saison à l'autre. La mode est moins exigeante et les femmes sont libres de choisir la longueur qui leur plaît. Pour le travail, elles portent souvent un tailleur avec la veste assortie à la jupe ou au pantalon. Nombreuses sont celles qui, aujourd'hui, portent le pantalon et, en particulier, des jeans.

De quelle autre manière les styles ont-ils changé ?

Lors de ces cinquante dernières années, de nombreux vêtements se sont élargis ou ont rétréci sans avoir subi de lavages répétés. Les cravates des hommes, les revers de leurs vestes et les jambes de leurs pantalons sont passés tour à tour du large à l'étroit et du court au long, suivant les modes en vogue. Au début des années 70, les cravates étaient si larges qu'on aurait pu les confondre avec des serviettes ! Les jambes de pantalons, taillées d'abord en fuseau, sont devenues du jour au lendemain si larges que le bas flottait au vent. On appelait ce style de pantalons "les pattes d'éléphant". Aujourd'hui, le pantalon a retrouvé une largeur moyenne et égale sur toute la longueur de la jambe. Mais quelle forme aura-t-il quand tu seras grand ?

Les bas de pantalons en patte d'éléphant avaient une raison d'être. À l'époque, on portait souvent des bottes de cuir à hauts talons. La patte d'éléphant permettait de recouvrir la botte avec le bas du pantalon au lieu de le serrer à l'intérieur. C'était plus confortable !

Comment seront les vêtements du futur ?

On ne peut pas connaître aujourd'hui les styles qui seront créés et adoptés à l'avenir. La mode est imprévisible et change de manière parfois étrange.

Mais il est probable que l'on s'habillera plus légèrement et qu'on portera moins de vêtements. En effet, l'industrie textile réalise d'année en année de nouvelles fibres synthétiques permettant de fabriquer des tissus à la fois légers et chauds. La recherche scientifique aérospatiale stimule la création de tissus très robustes mais à la fois légers et confortables pour les tenues de voyage des astronautes.

De plus, les modes poursuivront probablement la tendance unisexe actuelle. C'est-à-dire qu'elles favoriseront les vêtements convenant aux hommes comme aux femmes, dont les jeans et les T-shirts sont l'exemple le plus courant.

Les Indiens d'Amérique du Nord, les cow-boys et les soldats qui ont traversé le pays de long en large ont beaucoup contribué à la façon dont s'habillent aujourd'hui les Américains. Les mocassins, les vestes de peau et les chapeaux à larges bords sont quelques exemples de cet héritage. Alors tous en selle : nous allons rendre visite au Shérif Spike, qui va nous présenter les vêtements du Far West.

LE FAR WEST

SHERIFF

LES INDIENS

Comment s'habillaient les premiers Américains ?

Bien avant l'arrivée des colons européens, les Indiens d'Amérique du Nord portaient des tuniques de cuir. Par temps froid, ils se recouvraient les jambes de fourrures ou de peaux de bêtes. Ces jambières remontaient comme de longs bas jusqu'au dessus du genou. Ces premiers Américains se chaussaient de mocassins, des chaussures très souples faites uniquement de peau.

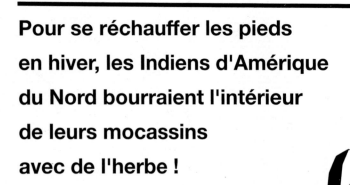

Pour se réchauffer les pieds en hiver, les Indiens d'Amérique du Nord bourraient l'intérieur de leurs mocassins avec de l'herbe !

ON N'A PAS FROID AUX PIEDS !

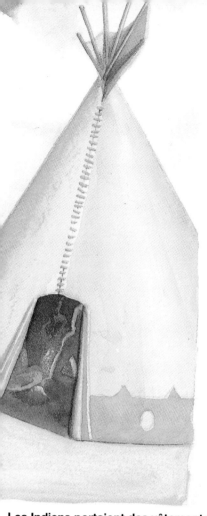

L'accoutrement des Indiens a-t-il changé après l'arrivée des colons ?

Influencées par les vêtements des femmes européennes, les Indiennes du nord-est des États-Unis ont adopté le port de la jupe et de corsages en tissu. Puis les hommes ont porté la chemise. Dans le sud-ouest du pays, les colons étaient d'origine espagnole, et portaient de longs pantalons de toile. Bientôt, les Indiens se sont mis eux aussi à en porter.

Comment les Indiens décoraient-ils leurs vêtements ?

Les perles de verre constituaient l'ornement préféré des Indiens d'Amérique du Nord. Ils échangeaient volontiers des fourrures et des couvertures contre ces perles brillantes et multicolores. Ils les cousaient sur leurs tuniques et sur leurs mocassins, les inséraient dans les tresses de leurs ceintures. Les hommes faisaient de même avec des touffes de cheveux sur leurs tuniques.

Les Indiens portaient des vêtements et des coiffures riches en couleurs.

Ces cheveux appartenaient-ils aux gens qu'ils scalpaient ?

Ce n'est pas impossible, mais il s'agissait en général de leur propre chevelure ou de celle de leur femme. On offrait fréquemment une touffe de ses cheveux en signe de gratitude à un ami à qui l'on devait la vie sauve.

Quelle était la tenue de combat des Indiens d'Amérique du Nord ?

Certains portaient une véritable armure pour se protéger des flèches et des lances ennemies. Les guerriers du nord-ouest fabriquaient des plastrons avec des tiges de bois et du cuir. Ils s'entouraient le cou d'un collier de bois qui couvrait également le menton et la bouche. Ils se coiffaient d'un casque de bois taillé à la main en forme d'animal féroce ou de visage humain effroyable, dont le but était d'impressionner l'ennemi. De plus, une tête d'animal devait porter chance. En tout cas, le casque offrait une bonne protection contre les projectiles et les masses.

D'autres tribus se battaient sans armure, mais s'abritaient derrière des boucliers de peau de bison. Celle-ci était séchée jusqu'à devenir très dure et résistante. La plupart des Indiens étaient d'excellents cavaliers et des guerriers redoutables.

Leurs chefs portaient-ils leurs grandes coiffures de plumes au combat ?

Non. On peut facilement comprendre qu'une telle coiffure aurait été quelque peu encombrante dans des situations ou la souplesse et la rapidité d'action étaient vitales. On appelait ainsi cette coiffure, parure de guerre, simplement parce que les plumes qui l'ornaient récompensaient de hauts faits au combat, comme nos médailles en quelque sorte. Aussi ces coiffures n'étaient-elles portées qu'à l'occasion de fêtes et de cérémonies exceptionnelles.

LA PANOPLIE DU PARFAIT COW-BOY

Pourquoi les cow-boys portaient-ils de grands chapeaux ?

La grande calotte et les larges bords protégeaient le visage du cow-boy du soleil, de la pluie et de la neige. Mais le climat n'était pas seul à justifier le port d'un tel chapeau. Les cow-boys n'avaient pas toujours sur eux des verres ou des tasses lorsqu'ils menaient les troupeaux. Le chapeau leur servait de récipient pour boire l'eau d'une source ou d'une rivière, et leur permettait aussi de porter de l'eau à leurs chevaux pour les désaltérer.

Pourquoi appelle-t-on les chapeaux de cow-boys des Stetson ?

C'est simplement le nom du plus grand fabricant de ce genre de coiffure, John B. Stetson. La fabrique du célèbre chapelier existe encore aujourd'hui au Texas. Et les chapeaux se vendent très cher.

De quoi se composait la panoplie des premiers cow-boys ?

Leur tenue de travail comprenait généralement une chemise et une paire de pantalons très solide, car ils passaient pratiquement toute la journée à cheval. Par temps froid, ils ajoutaient une autre chemise, car une veste entravait les mouvements des bras. En hiver, ils portaient des sous-vêtements à caleçon long, d'une seule pièce, pour se tenir chaud.

Pourquoi les cow-boys ont-ils toujours un foulard autour du cou ?

Ce foulard s'appelle le bandana. Un vieux cow-boy, J. Frank Dobie, a dressé la liste de tout ce que permettait le bandana. La voici :

1. Protéger le cou du soleil.
2. Se couvrir le nez lors d'une tempête de sable.
3. Se couvrir les oreilles par temps froid.
4. Bien attacher son chapeau sur sa tête quand il y a du vent.
5. Bander les yeux de son cheval.
6. Panser une blessure.
7. Mettre un bras cassé en écharpe.
8. Filtrer l'eau d'un ruisseau.
9. Couvrir le visage d'un cow-boy mort.
10. Pendre les voleurs de chevaux.

Les cow-boys modernes utilisent sans doute leurs bandanas dans toutes ces circonstances... à l'exception peut-être de la dernière !

Pourquoi les cow-boys portent-ils toujours des bottes à talons hauts ?

Les talons hauts évitent aux cavaliers de perdre leurs étriers. C'est une mesure de sécurité essentielle, car on peut facilement tomber de cheval si l'on n'a pas les pieds glissés dans les étriers. On peut alors se faire très mal.

Quelle est l'origine de la tenue de cow-boy ?

La tenue des cow-boys d'Amérique du Nord provient essentiellement d'Espagne. Les colons espagnols sont arrivés avec des troupeaux de bétail et des vachers pour les garder. Ces vachers espagnols portaient un large chapeau de cuir - le sombrero - des bottes avec des éperons métalliques, un gilet et des jambières de cuir.

À quoi ressemblent les jambières ?

Ce sont des pièces de cuir très robustes qui servent à recouvrir les jambes de pantalons ou de jeans pour les protéger des ronces, du froid ou simplement du frottement contre la selle, car les vaqueros et les cow-boys passaient une bonne partie de leur vie à cheval.

Les cow-boys modernes portent-ils toujours des jambières ?

Les cow-boys modernes roulent plus souvent en voiture ou en Jeep qu'ils ne montent à cheval. Si les jambières sont encore utilisées en Amérique du Nord, elles le sont plus en Amérique du Sud où le cheval reste le mode de transport le plus répandu chez les vaqueros et les gauchos.

VIVE LE RODÉO !

LES VÊTEMENTS DES PIONNIERS

Où en était la mode masculine aux premiers temps du Far West ?

Les hommes les plus riches du Far West suivaient la mode des villes de l'est des Etats-Unis. Ils portaient des costumes avec une veste et un pantalon assortis sur des chemises de soie blanche agrémentées d'un nœud papillon autour du col. Ils se coiffaient de chapeaux hauts-de-forme noirs.

Les autres habitants du Far West travaillaient généralement la terre et portaient des vêtements moins élégants et plus adaptés à leur travail difficile.

WILD BILL HICKOK

Les pionniers ont-ils parfois porté des vêtements indiens ?

Certains l'ont fait. Wild Bill Hickok entre autres. C'était un célèbre éclaireur devenu marshal (un shérif nommé par le Gouvernement américain) et qui portait toujours des habits indiens en peau, ornés de perles. Il avait des revolvers en argent avec des crosses en ivoire.

Quand a-t-on inventé les blue-jeans ?

En 1850, aux États-Unis, Levi Strauss a fabriqué pour les chercheurs d'or de San Francisco, de solides pantalons de couleur marron, renforcés aux points fragiles de rivets de cuivre, ce qui les rendait d'autant plus résistants. Bientôt, il les a fait teindre en bleu et leur a donné le nom de blue-jeans.

WILD SALLY BROWN

Levi Strauss s'était rendu en Californie pour chercher de l'or, mais il a fini par devenir bien plus riche en vendant ses célèbres blue-jeans !

Comment s'habillaient les femmes du Far West ?

Les femmes et les filles des pionniers avaient l'habitude de porter des corsages et de longues jupes de coton recouvertes de tabliers. Lorsqu'il faisait frais, elles s'enveloppaient les épaules dans un châle. Par temps froid, les femmes de pionniers revêtaient des jambières de cuir, identique à celles des Indiennes.

Que portaient les femmes des pionniers les jours de fête ?

Pour aller à l'église ou sortir en ville, les femmes du Far West n'avaient en général qu'une robe. Le modèle en vogue il y a une centaine d'années était une robe à jupe ample. Elles essayaient aussi de suivre la mode de Washington et d'adopter les derniers styles de bonnets et de châles.

LUCY, LAISSE-MOI T'AIDER AVEC TON CHÂLE...

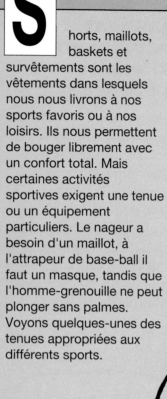

Shorts, maillots, baskets et survêtements sont les vêtements dans lesquels nous nous livrons à nos sports favoris ou à nos loisirs. Ils nous permettent de bouger librement avec un confort total. Mais certaines activités sportives exigent une tenue ou un équipement particuliers. Le nageur a besoin d'un maillot, à l'attrapeur de base-ball il faut un masque, tandis que l'homme-grenouille ne peut plonger sans palmes. Voyons quelques-unes des tenues appropriées aux différents sports.

CHAPITRE 4

A VOS MARQUES, PRÊTS, PARTEZ !

MASQUES, GANTS, JAMBIERES ET CASQUES

Quels sports exigent-ils un masque ?

On porte souvent un masque. Ceux qui pratiquent la plongée et la pêche sous-marine mettent un masque pour voir sous l'eau. Les gardiens de buts de hockey sur glace se protègent le visage contre le palet, qui peut se transformer en un véritable projectile. Au base-ball, l'attrapeur porte également un masque de protection. Les skieurs portent parfois une cagoule pour éviter de se geler le visage en haute montagne.

Pourquoi, au base-ball, l'attrapeur porte-t-il un masque ?

Les attrapeurs sont placés derrière le batteur du camp adverse, qui doit frapper la balle qu'on lui envoie avec force. Si le batteur manque son coup, la balle peut venir frapper le visage de l'attrapeur. De plus, il n'est pas à l'abri d'un coup de batte accidentel. Le masque lui protège le visage.

Quelles autres protections l'attrapeur utilise-t-il ?

Il porte un plastron sur la poitrine et des protège-tibias qui, comme le masque, préservent des balles rapides et les coups de batte. Il a aussi un gant spécial qui lui permet de bloquer les balles de la main gauche, un protège-gorge et une coquille de protection du bas ventre.

Comment sont les gants des autres joueurs de base-ball ?

Les gants des joueurs à l'exception de l'attrapeur ont les doigts cousus ensemble, le pouce étant séparé des doigts par une poche. Le gant du joueur placé sur la première base est plus large que ceux de ses coéquipiers car il est appelé à ramasser au sol un plus grand nombre de balles.

Que portent les joueurs de football américain ?

Le football américain s'apparente plus à notre rugby à quinze qu'au football européen. C'est un jeu violent où les joueurs sont exposés à de nombreuses chutes et à toutes sortes de coups. Aussi ajoutent-ils au casque des protège-épaules, des protège-coudes, des protège-côtes, des protège-hanches, des protège-ceinture, des protège-cuisses, des protège-genoux et une bonne dizaines d'autres rembourrages indispensables et d'ailleurs obligatoires.

Comment est fait le casque d'un footballeur américain ?

La coquille du casque est en matière plastique incassable. Une barre recouvrant le visage constitue le masque, avec un protège-nez. Le casque est retenu par une jugulaire, et un protège-mâchoire préserve aussi les dents et la bouche. L'intérieur du casque comporte plusieurs systèmes de suspension dont certains sont gonflables.

Les footballeurs américains ont-ils toujours été si bien protégés ?

Non. A l'époque où le jeu a été inventé, les joueurs ne portaient aucun rembourrage et pas de casque. Ils n'avaient qu'un maillot et un pantalon de grosse toile. Ce n'est qu'après de nombreuses blessures qu'une protection sérieuse des joueurs a été envisagée.

Comment les joueurs de hockey sur glace se protègent-ils ?

Les joueurs de hockey sur glace doivent, comme les footballeurs, assurer leur propre protection pendant le jeu. Ils portent des gants, des jambières, des rembourrages aux épaules et aux bras, et un casque. Celui-ci diffère du casque des footballeurs car il ne comporte pas de barre faciale.

En revanche, le gardien de but d'une équipe de hockey est obligé de mieux se protéger que les autres joueurs de l'équipe. En effet, tenter d'arrêter un palet capable de filer à plus de 150 km/h peut être dangereux. Son casque comporte un masque facial, sa tenue est rembourrée en divers endroits et il porte une paire de gants très spéciale : un gant d'attrape pour la main gauche et un gant de crosse avec un panneau matelassé au dos pour bloquer le palet.

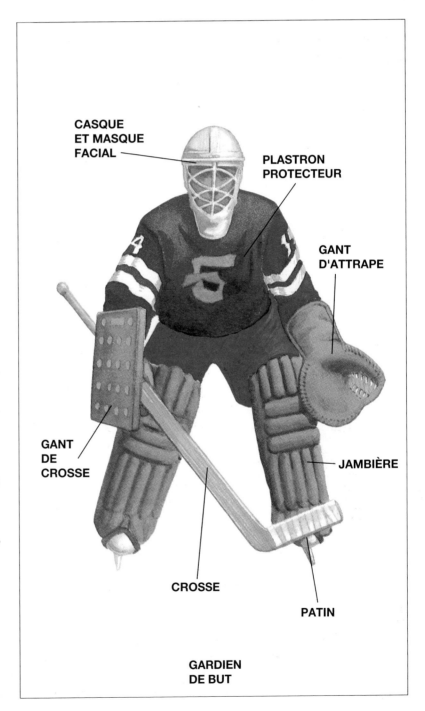

CASQUE ET MASQUE FACIAL

PLASTRON PROTECTEUR

GANT D'ATTRAPE

GANT DE CROSSE

JAMBIÈRE

CROSSE

PATIN

GARDIEN DE BUT

AUX PIEDS DE L'ATHLETE

Quels types de chaussures porte-t-on pour pratiquer différents sports ?

On peut dire que chaque sport nécessite une paire de chaussures particulière, spécialement conçues pour aider l'athlète dans sa discipline spécifique. Voici quelques exemples de chaussures correspondant à des sports différents.

Football européen - Les footballeurs portent des chaussures à semelles cloutées. Les clous s'accrochent au terrain et empêchent le joueur de glisser.

Hockey sur glace - Comme la partie se déroule entièrement sur la glace, le joueur doit être chaussé de patins à glace, qui comprennent une paire de bottines avec de fines lames de métal fixées à la semelle.

Pêche sous-marine - Les plongeurs sont équipés de palmes en plastique ou en caoutchouc. Ces palmes sont larges et plates, comme des pattes de canard, et aident les nageurs à évoluer plus rapidement dans l'eau.

Ski - Les skis ne se fixent pas à une paire de chaussures ordinaires, il faut des bottes très spéciales dont l'extérieur est en plastique très dur et l'intérieur rembourré pour assurer le confort et la chaleur du pied.

Natation - Les nageurs ne portent pas de chaussures !

Golf - Les golfeurs doivent avoir les pieds fermement plantés dans le sol lorsqu'ils frappent leurs balles.C'est pourquoi les semelles de leurs chaussures sont hérissées de pointes.

Course à pied - La pratique constante de la course à pied peut être mauvaise pour les pieds du coureur s'ils ne sont pas suffisamment soutenus. Aussi les chaussures de course ont-elles d'épaisses semelles de caoutchouc. Elles sont également légères afin de ne pas alourdir l'athlète.

Le 8 novembre 1970, Tom Dempsey a marqué le plus long essai de l'histoire du football américain : plus de 57 mètres. Il s'était fait faire une chaussure spéciale car il n'avait que la moitié d'un pied !

POUR LA BAIGNADE

Comment les maillots de bain peuvent-ils être d'une utilité particulière pour les nageurs ?

Quand un tissu absorbe l'eau, il s'alourdit, et des vêtements lourds peuvent freiner la progression d'un nageur, voire le faire couler. Aussi, les maillots de bain modernes ne contiennent-ils plus guère de tissu mais des fibres synthétiques imperméables qui n'absorbent pas l'eau. Ce type de costume léger n'a fait son apparition qu'au cours des cinquante dernières années. Il est venu à point en des temps où les records sportifs ne cessent d'être battus.

À quoi ressemblaient les anciens maillots de bain ?

Entre 1850 et 1860, sur la plage, les femmes étaient vêtues de longues culottes sous des jupes bouffantes, et d'un corsage remontant jusqu'au cou. Elles se chaussaient de savates de toile. On imagine la difficulté pour nager quand toute cette toilette trempait dans l'eau.

Petit à petit, les maillots de bain ont rétréci jusqu'à la création, quatre-vingt dix ans plus tard, du bikini, un maillot de bain qui ne recouvrre plus grand chose.

VIENS, CHUCK ON POSE POUR LA PHOTO !

FAITES TIRE VOTRE PORTRAIT EN COSTUME DE BAIN À L'ANCIENNE.

À quoi ressemblaient les premiers maillots de bain pour hommes ?

Les hommes n'ont pas porté de costumes spéciaux pour la baignade avant les années 1850. Ce n'est qu'à cette époque que les hommes et les femmes ont commencé à se côtoyer sur les plages. Au début, les hommes ne portaient qu'un short de bain ; mais, vers 1870, la mode devenant pudique, ils ont revêtu un maillot montant jusqu'au cou comme un T-shirt. Le short leur descendait alors jusqu'aux genoux. Cette mode a duré pendant cinquante ans.

Les hommes portaient ce genre de maillot vers 1890.

Qu'est-ce qu'une combinaison de plongée ?

C'est une tenue qu'il faut revêtir dans les eaux froides. Ce sont les adeptes de la plongée sous-marine et les surfeurs qui la portent le plus. Elle recouvre tout le corps. Elle est en caoutchouc aéré d'une multitude de petites bulles qui aident le plongeur à flotter. Bien qu'elle soit hermétique, la combinaison laisse s'infiltrer un peu d'eau, qui est réchauffée par le corps de celui ou celle qui la porte et permet de maintenir cette chaleur dans la combinaison.

CHAPITRE 5

LE PRESTIGE DE L'UNIFORME

Tu peux constater, en regardant autour de toi, que tout le monde semble s'habiller de façon différente. Mais il y a pourtant des catégories de gens qui portent tous la même tenue : les agents de police, les pompiers et les pilotes par exemple. Ils portent un uniforme, et ce ne sont pas les seuls. Si tu fréquentes un club sportif ou si tu appartiens à une troupe de scouts, tu as sans doute un uniforme, toi aussi.

LES CHEVALIERS EN ARMURE

Qu'est-ce qu'une armure ?

L'armure est une tenue de protection que l'on porte au combat. On pense généralement que les armures ont toujours été en métal, mais certaines étaient en bois ou en cuir.

POURQUOI EST-CE QUE JE ME LAISSE TOUJOURS FAIRE ?

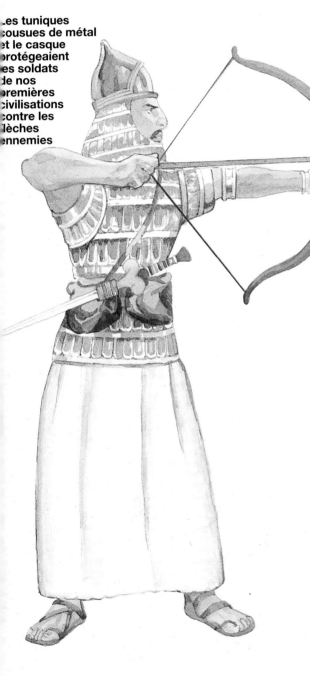

Les tuniques cousues de métal et le casque protégeaient les soldats de nos premières civilisations contre les flèches ennemies

Quand les guerriers ont-ils commencé à porter des armures en métal ?

Il y a environ 3 500 ans. A cette époque, les soldats des pays du Moyen-Orient qu'étaient l'Assyrie et la Babylonie, brodaient de métal leurs tuniques de cuir, ce qui leur assurait une meilleure protection contre les flèches ennemies.

Mille ans plus tard, les Grecs se sont coiffés de casques métalliques et ont protégé leur poitrine et leur dos de cuirasses de métal.

Bien plus tard, il y a près de 600 ans, des chevaliers européens se sont entièrement recouverts d'armures. Celles-ci étaient composées de larges plaques soudées les unes aux autres avec des joints aux genoux et aux coudes. Le casque, qu'on appelait le heaume, tout en métal, recouvrait la tête, le visage et le cou du chevalier.

Quel genre de chaussures les chevaliers portaient-ils ?

Les chevaliers recouvraient leur corps de métal de la tête aux pieds. Leurs chaussures étaient pointues et, dans la plupart des cas, forgées sur mesure avec beaucoup de soin.

Les chevaliers pouvaient-ils bouger avec une telle armure ?

Ce n'était pas facile ! Les jeunes chevaliers devaient s'exercer à porter ce poids supplémentaire, et une chute lors d'une bataille leur était souvent fatale. Toutefois ce sont leurs chevaux qui souffraient le plus. Les chevaliers étaient forcés d'engager le combat à dos de cheval, car c'était pour eux le seul moyen de se déplacer rapidement. Le cheval devait donc supporter le poids de son cavalier bardé de son armure et, bien souvent aussi, celui de la cuirasse qui le caparaçonnait.

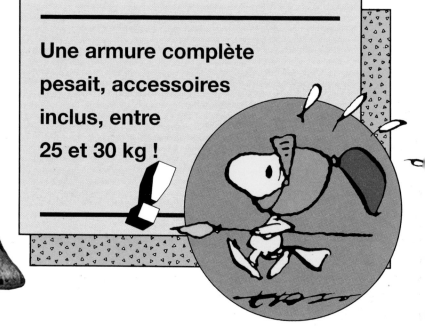

Une armure complète pesait, accessoires inclus, entre 25 et 30 kg !

Il y a 400 ans, les soldats anglais portaient des armures semblables à celle-ci.

Comment les simples soldats étaient-ils vêtus ?

Jusqu'au XVIe siècle, les soldats étaient généralement coiffés de casques métalliques et vêtus de tuniques de cuir parfois incrustées de métal. Dans certains pays, ils étaient protégés par une cotte de mailles, un tissu d'anneaux de métal reliés les uns aux autres, qui les protégeaient des flèches et des lances. Comme les tuniques étaient sans manches, seule la cotte recouvrait les bras. Les chevaliers endossaient parfois leur cotte de maille sous un plastron de cuirasse.

Dans l'Europe du XVIe siècle il était de bon ton de lacérer ses vêtements à l'image des soldats revenant de la guerre !

LES SOLDATS EN UNIFORME

Comment les soldats modernes sont-ils vêtus ?

Aujourd'hui, les soldats portent des uniformes dont le style et les accessoires diffèrent selon les pays. Le kaki prédomine à peu près partout, alors qu'autrefois la couleur distinguait les nationalités ou les partis. Pendant la Guerre Civile américaine, les soldats de l'Union, les Nordistes, étaient vêtus de bleu, tandis que les Confédérés, les Sudistes, portaient un uniforme gris. A l'époque des batailles rangées, il était important de savoir distinguer son ennemi de son ami ! Dans les conflits modernes, c'est l'équipement et le matériel qu'il importe d'identifier en priorité !

Tous les uniformes militaires d'un même pays sont-ils de la même couleur ?

Non, les soldats revêtent des uniformes dont la couleur et le style varient suivant l'arme dans laquelle ils servent : l'aviation, la marine ou l'armée de terre.

Qu'est-ce qu'une tenue de camouflage ?

Au combat, l'uniforme qui différenciait les soldats de camps opposés est remplacé de nos jours par des treillis qui se ressemblent tous plus ou moins. C'est donc la coiffure, ou bien un foulard ou un brassard, qui permet d'identifier le combattant. Le treillis camouflé comporte plusieurs teintes imitant le terrain sur lequel le combattant évolue afin de le confondre avec le paysage environnant, et de le rendre ainsi moins visible aux yeux de l'ennemi.

Que signifient les décorations sur les uniformes militaires ?

Les écussons, les épaulettes et la fourragère indiquent le régiment auquel le soldat appartient. Des lisérés sur ses épaulettes et sa casquette correspondent à son grade, c'est-à-dire à son rang dans l'armée : homme de troupe, sergent, lieutenant, capitaine, colonel et général, entre autres. Une décoration récompense un haut fait d'armes ou un service effectué avec succès ou dans des circonstances ou des régions difficiles. Elle se traduit généralement par le port d'une médaille.

LES METIERS ET LEURS UNIFORMES

Les enfants portent-ils des uniformes ?

Oui, les scouts portent un uniforme, et dans de nombreux pays, dont l'Angleterre, les écoliers et parfois les étudiants revêtent l'uniforme de leur école ou de leur université. En France, la pratique subsistait encore il y a quelques dizaines d'années dans certaines écoles privées.

Les écoliers japonais portent généralement un uniforme lorsqu'ils vont en classe.

Existe-t-il d'autres types d'uniformes ?

Oui. Et tu peux voir ci-contre des photos de personnes qui portent un uniforme ou une tenue traditionnelle représentant, aux États-Unis, le métier qu'ils exercent.

Chef de train

Infirmières

Agents de police

Chefs cuisiniers

99

Souvent les vêtements que tu portes dépendent de l'endroit où tu vis. Selon les climats et selon les cultures, les habits peuvent avoir un usage ou une signification différente. Joignons-nous à Charlie Brown et à sa joyeuse bande pour effectuer un tour du monde des coutumes véstimentaires.

L'HABIT DANS LE MONDE

LES COIFFURES

Pourquoi les chefs cuisiniers portent-ils des toques ?

Les chefs cuisiniers portent de hautes toques blanches depuis 600 ans au moins. Cette coiffure date d'une époque où les artisans et commerçants s'habillaient aux couleurs de leur métier. Les boulangers et cuisiniers étaient alors coiffés de toques blanches mais courtes. Les styles ont toutefois évolué et, au début du XXe siècle, les cuisiniers ont commencé à porter des toques longues et gonflées seulement au sommet. Aujourd'hui, la haute toque blanche évoque immédiatement un chef de restaurant.

Pourquoi les rois portent-ils des couronnes ?

La couronne distingue le roi de ses sujets, et symbolise sa puissance. Chaque couronne est ornée de manière à représenter son pays, car c'est l'État qui couronne le monarque et lui donne les pleins pouvoirs sur sa population entière.

Les rois ou les reines ne portent pas la couronne à longueur de temps, mais seulement à l'occasion de cérémonies officielles. Une couronne est d'ailleurs très lourde car elle est, en général, sertie d'or et de pierres précieuses. Il est difficile de la porter longtemps sans risquer un mal de tête.

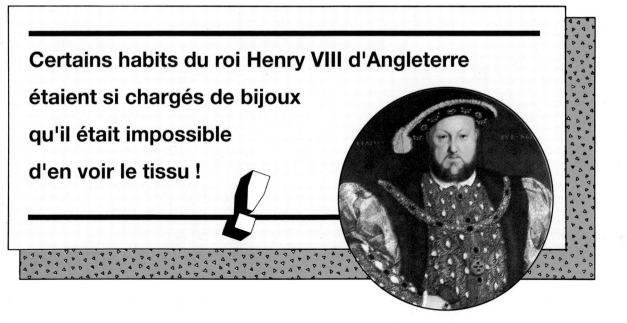

Certains habits du roi Henry VIII d'Angleterre étaient si chargés de bijoux qu'il était impossible d'en voir le tissu !

ÇA FAIT PLUS SÉRIEUX, NON ?

Pourquoi les juges et les avocats anglais portent-ils des perruques blanches ?

C'est une coutume vieille de 300 ans, qui remonte à l'époque où tous les hommes importants du Royaume d'Angleterre portaient des perruques aux boucles blanches retombant sur les épaules. Lorsque cette mode a commencé à disparaître aux alentours de 1700, les avocats et les magistrats ont décidé de la maintenir pour symboliser l'importance et l'autorité de la loi. En 1790, les hommes avaient l'habitude de poudrer leurs perruques pour leur donner des teintes diverses - on utilisait surtout le blanc, mais aussi le rose, l'argent et le bleu.

Tous les hommes portaient-ils une perruque à cette époque ?

Non, il s'agissait simplement d'une mode que de nombreux hommes d'action ne se sentaient pas tenus de respecter. Parmi eux, certains grands personnages de la Révolution Française ou encore George Washington, sans doute trop occupé à forger la nouvelle nation des États-Unis dont il a été le premier Président.

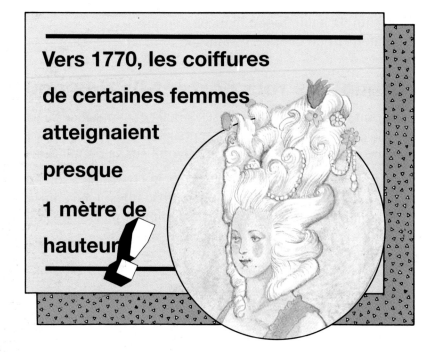

Vers 1770, les coiffures de certaines femmes atteignaient presque 1 mètre de hauteur !

Porte-t-on la perruque de nos jours ?

Oui. Au théâtre, bien sûr, des acteurs se coiffent d'une perruque pour mieux ressembler aux personnages qu'ils interprètent. D'autres personnes en portent parce qu'elles ont perdu leurs cheveux. Les perruques modernes sont souvent très semblables à de vraies chevelures. Celles que portent certains hommes pour cacher une partie chauve de leur crâne s'appellent des postiches.

LES VOILES, LES SANDALES ET LES TURBANS

Pourquoi dans certains pays les femmes portent-elles un voile ?

Il s'agit d'une coutume très ancienne. Elle date d'environ 5 000 ans et vient d'un pays du Moyen-Orient qui s'appelait Ur. Le voile est supposé dérober le visage de la femme au regard de l'homme, et certaines religions rendent encore le port du voile obligatoire. Il n'est pas rare, dans certains pays du Moyen-Orient, de croiser des femmes entièrement voilées de la tête aux pieds.

Le voile est-il porté par des hommes ?

Oui, chez les Touaregs, qui vivent dans le désert du Sahara. Tous les hommes se couvrent le visage, même pour manger et boire ! Ils pensent être exceptionnels et croient que les gens ordinaires ne doivent pas voir leur visage. Il se peut aussi que dans une région de sable et de poussière ils aient besoin de se masquer le nez et la bouche.

Les vêtements amples aident à conserver une certaine fraîcheur dans les climats désertiques

Quels autres vêtements les peuples du désert portent-ils ?

Les Touaregs portent des sandales aux semelles larges formant une pointe recourbée à l'avant. Ce sont des babouches. Leur forme particulière empêche celui qui les porte de s'enfoncer dans le sable à chaque pas.

Comme la plupart des habitants du désert, les Touaregs portent surtout des vêtements amples qui permettent au corps de bien respirer. Certaines tenues consistent en de simples tuniques longues et en djellabas, d'autres en chemise avec de larges pantalons.

Dans le désert brûlé de soleil, on se coiffe d'un turban ou on s'enveloppe la tête de voiles de coton, et on cherche surtout à rester à l'ombre.

Qu'est-ce qu'un turban ?

Un turban est une longue pièce de tissu que certaines personnes s'enroulent autour de la tête, notamment les habitants des pays chauds tels que l'Égypte, l'Inde, l'Arabie Saoudite et de nombreuses autres contrées d'Asie et d'Afrique. En Afrique, les femmes portent aussi le turban.

Le turban s'enroule tel un nœud géant dont la tête forme le centre. On passe les extrémités par-dessus et par-dessous l'une de l'autre et on finit par les glisser sous le turban ainsi formé.

Il y a cent manières d'enrouler un turban, et la façon dont on le fait indique parfois la tribu d'origine de celui qui le porte.

En Asie et en Afrique de nombreux hommes se coiffent du turban.

Même s'ils s'habillent avec un pantalon et une chemise modernes, certains Asiatiques et quelques Africains se coiffent d'un turban !

LA JUPE ET LE KILT

Y a-t-il des hommes qui portent la jupe ?

Dans certains pays, les hommes ont porté la jupe plutôt que le pantalon, il y a de cela très longtemps, et la tradition subsiste aujourd'hui à des degrés divers. Le pagne est toujours à l'honneur sous les tropiques, l'uniforme blanc de la garde du parlement grec inclut la jupe sur un pantalon, et le kilt est probablement le principal symbole de l'Écosse dans le monde entier.

Qu'est-ce qu'un kilt ?

Un kilt est une longue jupe en étoffe de laine plissée que les Écossais ceignent autour de leur taille à l'occasion des cérémonies officielles, des rencontres sportives ou simplement d'une promenade dans la campagne. Il fait partie de l'uniforme de parade des plus fiers régiments britanniques. Le kilt est composé de bandes de couleur qui se croisent à angle droit, formant un motif qu'on appelle un tartan. On distingue 96 tartans qui appartiennent chacun à un des clans d'Écosse.

Le kilt fait partie du costume traditionnel écossais.

KIMONOS, SARONGS MUUMUUS ET SARIS

Qu'est-ce qu'un kimono ?

Le kimono est l'habit traditionnel du peuple japonais. C'est une longue robe à manches larges, que l'on orne d'une large ceinture. Elle comporte générale-ment de très beaux motifs aux couleurs splendides. Hommes et femmes portent le kimono, mais ne le revêtent aujourd'hui que pour les grandes occasions.

Qu'est-ce qu'un sarong ?

Le sarong est un long morceau de tissu que l'on enroule une fois autour du corps. Les habitants des îles du Pacifique et de l'Asie du Sud le portent pratiquement tout le temps. Les hommes l'attachent autour de la taille, les femmes autour de la poitrine. On trouve dans certaines parties d'Afrique des parures très semblables au sarong.

Qu'est-ce qu'un muumuu ?

Les femmes hawaïennes portent souvent le muumuu, une robe de coton longue et ample. Cette coutume est apparue dès l'arrivée des colons à Hawaii au XIXe siècle. Trouvant que les femmes n'étaient pas assez habillées, ils les ont obligées à revêtir le muumuu.

ALOHA, MA BELLE.

Qu'est-ce qu'un sari ?

Le sari est une longue pièce de tissu léger dont s'habillent les femmes de l'Inde et des pays voisins. Il est habituellement en soie ou en coton très fin. Sous cette sorte de voile, la femme porte un corsage court et une combinaison.

Elle glisse une extrémité du sari dans la combinaison et enroule le reste plusieurs fois autour de son corps, puis jette l'autre extrémité par-dessus son épaule. Le bas du sari effleure le sol.

Une jeune Indienne revêtue d'un sari

LES GETAS ET LES PIEDS NUS

Avec quoi les Orientaux se chaussent-ils ?

En Chine, au Japon et dans d'autres pays d'Extrême-Orient, les gens portent des chaussures comme les nôtres, mais aiment bien aussi les sandales de paille ou de corde. Il existe au Japon une sandale qu'on appelle geta, dont la semelle est un épais morceau de bois. Dans les régions froides, au Tibet ou en Mongolie par exemple, on porte des bottes de fourrure ou de toile épaisse. Les indigènes des Iles du Pacifique restent généralement pieds nus, puisqu'il y fait toujours chaud.

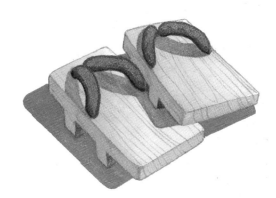

Comment se chaussent les Africains ?

Ce qu'ils portent au pied dépend de l'endroit où ils vivent et de leurs moyens.

Ceux qui vivent dans la jungle vivent pieds nus. D'autres, qui n'ont pas d'argent, restent également pieds nus. Certains peuvent se permettre d'acheter des sandales. Les citadins, c'est-à-dire les habitants des villes, portent pour la plupart des chaussures, comme les Occidentaux. Les Occidentaux sont les Américains et les Européens qui vivent à l'ouest ou en Occident.

Existe-t-il des gens qui ne portent aucun vêtement ?

Une très faible partie de la population mondiale vit nue. Il existe encore quelques tribus primitives en Australie, en Amérique du Sud et en Afrique qui vivent complètement isolées de la civilisation et n'éprouvent pas le besoin de se vêtir. Ce qui ne les empêche pas de se peindre le corps et de s'orner de bijoux multicolores à l'occasion d'une fête ou d'une cérémonie particulière.

Il y a près de 300 ans, certaines Européennes portaient des chaussures avec des semelles de 7,5 cm de haut !

QUI SUIS-JE ?

Derrière le masque

Aux États-Unis, de nombreux enfants se masquent le visage pendant la nuit de Halloween. Mais les enfants d'aujourd'hui n'ont rien inventé, car il y a plus de 10 000 ans, les habitants des cavernes portaient des masques lorsqu'ils exécutaient des danses rituelles avant de partir à la chasse. Ces masques représentaient les animaux qu'ils souhaitaient abattre.

Défense d'éternuer !

Comme leurs premières tenues étaient pressurisées, les astronautes ne pouvaient pas se toucher le visage. Il leur était donc impossible de se moucher ! Pour se gratter, ils devaient se contenter de frotter la partie sensible de leur visage contre la paroi intérieure de leur casque hermétique.

A présent, les équipages de la navette spatiale s'habillent comme tout le monde. Et ils peuvent ainsi, comme sur la terre, se gratter le nez à tout instant.

Des Bagues et des Bijoux

Les gens de toutes origines et de toutes cultures aiment se parer de bijoux. Ils portent des pierres ou des bouts de métal autour du cou, aux doigts, aux bras et aux poignets. Parfois, les ornements ont aussi leur utilité. Les femmes Paduang de Birmanie, par exemple, s'allongent le cou à l'aide d'anneaux superposés. Un bracelet tressé peut signifier l'amitié, et un bijou peut être un simple collier de perles sans valeur ou une pierre rare et très précieuse.

Cette jeune femme africaine porte des bijoux multicolores.

NON !

LAISSE DONC...

ELLES NE TE VONT PAS ...

TU FAIS DRÔLEMENT PLOUC AVEC TES SOULIERS POINTUS !

7-6

L'orteil en pointe

Les chaussures très pointues étaient en vogue au Moyen-Âge, et les pointes étaient parfois si longues qu'elles battaient le sol quand on marchait. Au XIVe siècle, les chaussures dépassaient le pied d'une trentaine de centimètres. Les moins fortunés pouvaient se limiter à un dépassement de 15 cm seulement.

Des garçons en jupe

Il y a encore 200 ans dans plusieurs pays occidentaux, la coutume voulait que les garçons portent une jupe longue jusqu'à ce qu'ils atteignent l'âge de 6 ans.

DES GARCONS EN JUPE ! EN MOI QUI PENSAIS QUE C'ÉTAIT DÉJÀ DUR POUR LES FILLES !

Les souliers de rubis

En 1988, les célèbres chaussures portées par Dorothy dans le film "Le Magicien d'Oz" ont été vendues aux enchères pour la somme de 900 000 francs. Mieux vaut ne pas trop les user !

INTRODUCTION

T'es-tu déjà demandé qui a décoré le premier arbre de Noël, quelle est l'origine de l'œuf de Pâques ou qui était Saint Valentin ? Charlie Brown et ses joyeux compagnons sont là pour répondre avec toi à ces questions et à bien d'autres encore sur les grandes fêtes du monde. Amuse-toi bien !

CONTENU

On fait la fête pour célébrer l'anniversaire d'un personnage célèbre ou bien un événement religieux ou historique. Comme tout le monde y participe, on ne travaille pas, et qui dit fête dit vacances. Examinons avec Charlie Brown et ses amis les principaux jours de fête dans le monde.

VIVE LES VACANCES !

CHAPITRE 1

LES PRINCIPALES FETES DE L'ANNEE

NOUVEL AN

SAINT VALENTIN

PÂQUES

1er MAI

Mois..................	Fête
Janvier.............................	Jour de l'An
Janvier ou février..............	Jour de l'An chinois
Janvier.............................	Journée Martin Luther King (U.S.A.)
Février.............................	Fête de la Marmotte (U.S.A.)
Février ou mars................	Le Carême
Février ou mars................	Mercredi des Cendres
Février ou mars................	Mardi Gras
Février ou mars................	Fête des Crêpes
Février.............................	Anniversaire de Lincoln (U.S.A.)
Février.............................	La Saint Valentin
Février.............................	Journée suzan B. Anthony (U.S.A.)
Février.............................	Journée du Président (U.S.A.)
Février.............................	Anniversaire de Washington (U.S.A.)
Mars................................	Fête de Saint-Patrick (Irlande)
Mars ou avril...................	La Semaine Sainte
Mars ou avril...................	Pâques
Mars ou avril...................	La Pâque Juive
Avril................................	Le 1er avril
Avril................................	Anniversaire de Bouddha
Avril ou mai.....................	Journée de l'Arbre (U.S.A.)
Mai.................................	Le 1er mai

Mois..................Fête

Mois	Fête
Mai............................	Semaine des Animaux (U.S.A.)
Mai............................	Fête des Mères
Mai............................	Fête de Victoria (Canada)
Mai............................	Journée du Souvenir (U.S.A.)
Juin............................	Fête du Drapeau (U.S.A.)
Juin............................	Fête des Enfants (U.S.A.)
Juin............................	Fête des Pères
Juin............................	Fête de Saint-Jean-Baptiste (Canada)
Juillet........................	Fête Nationale du Canada
Juillet........................	Fête de l'Indépendance des U.S.A.
Juillet........................	Fête Nationale du 14 juillet
Septembre....................	Fête du Travail (U.S.A.)
Septembre ou octobre.........	Rosh Hashanah (Fête juive)
Septembre ou octobre.........	Yom Kippour (Fête juive)
Octobre........................	Journée Christophe Colomb
Octobre........................	Halloween (U.S.A.)
Novembre.......................	Journée Guy Fawkes (Angleterre)
Novembre.......................	Jour des Élections (U.S.A.)
Novembre.......................	Fête des Anciens Combattants (U.S.A.)
Novembre.......................	Thanksgiving (U.S.A.)
Décembre.......................	Hanoukka (Fête juive)
Décembre.......................	Noël

FÊTE DES MÈRES

FÊTE DE L'AMITIÉ

TO MY FRIEND

HALLOWEEN

THANKSGIVING

NOËL

Sors tes habits de fête et gonfle les ballons. Voici venir le Nouvel An et toutes les fêtes qu'il entraîne. En commençant par janvier, février et mars, Charlie Brown et ses amis te proposent d'examiner les principaux événements commémorés dans le monde !

BIENVENUE A L'ANNEE NOUVELLE

Janvier

A-t-on toujours fêté le Jour de l'An le 1er janvier ?

Non. Dans de nombreux pays, le 1er janvier n'est devenu le premier jour de l'année qu'au début du XVIIe siècle. L'Angleterre a attendu jusqu'en 1752. Jusque-là, les pays chrétiens d'Europe célébraient l'an neuf le 1er mars ou le 25 mars, tout au début du printemps.

Pourtant, le 1er janvier était bien le premier jour de l'année d'après le calendrier romain que Jules César avait institué 45 ans avant la naissance de Jésus-Christ. Mais l'idée du Nouvel An pour le 1er janvier ne s'est concrétisée que des siècles plus tard.

Pourquoi fait-on parfois beaucoup de bruit la veille du Nouvel An ?

Il y a des milliers d'années, on croyait que des esprits hantaient la terre. Comme ces esprits étaient supposés s'agiter plus particulièrement au moment du changement d'année, les gens créaient un grand vacarme afin de les effrayer et de les faire fuir.

Nous ne croyons plus tellement aux esprits malveillants à présent, mais nous faisons toujours beaucoup de bruit le 31 décembre à minuit, lorsqu'on "enterre" le passé pour accueillir le Nouvel An.

Quand les Chinois fêtent-ils le Nouvel An ?

La nouvelle année chinoise commence le soir de la pleine lune entre le 21 janvier et le 19 février. Elle dure de 10 à 15 jours.

Le réveillon et le jour du Nouvel An se fêtent dans l'intimité familiale. Puis les festivités prennent plus d'ampleur. Des défilés sont organisés presque tous les jours sur les voies et les places publiques. Ils sont animés par des musiciens, des danseurs et des clowns.

Des dragons de papier aux couleurs vives ondulent dans les rues pour célébrer le Nouvel An chinois.

Comment se termine la célébration du Nouvel An chinois ?

Le Nouvel An chinois se termine par la Fête des Lanternes. Les Chinois fabriquent en effet de magnifiques lanternes en papier mâché, en verre et en soie. Ils leur donnent des formes variées : poissons, dragons, animaux de toutes sortes, voitures, avions ou pavillons chinois qu'ils suspendent ensuite devant leurs maisons ou dans leurs jardins, devant les boutiques et les temples.

Au crépuscule, toutes les lanternes sont portées en procession. Les jeunes, vêtus de costumes fantastiques, dansent sur des échasses, et l'apogée de la soirée est la course du dragon en papier mâché. Il est parfois aussi long qu'un wagon de chemin de fer et il faut environ 50 personnes pour le porter.

En Birmanie, on fête le Nouvel An en se versant de l'eau sur la tête !

BONNE ANNÉE !?

Le pasteur Martin Luther King Jr., défenseur des droits civiques.

Qu'est-ce que la journée Martin Luther King ?

C'est, aux États-Unis, une journée dédiée à la mémoire de Martin Luther King Jr., un célèbre pasteur noir américain. Ardent défenseur des droits civiques, il a lutté sa vie durant, de manière pacifique, en faveur de l'égalité des citoyens noirs dans son pays.

Les États-Unis consacrent au souvenir de Martin Luther King le troisième lundi de janvier. Ce jour de commémoration de la naissance de ce grand personnage est toujours le plus près possible du 15 janvier, date de son anniversaire.

FÉVRIER

ALORS, C'EST FINI L'HIVER ?

Une marmotte sortant de son terrier.

Qu'est-ce que la Fête de la Marmotte ?

Selon une très vieille légende, chaque année, le 2 février, la marmotte se réveille de sa longue hibernation et quitte son terrier. Si la marmotte aperçoit son ombre, elle prend peur et regagne son abri. La présence du soleil à cette date signifie que le froid durera encore six semaines. En revanche, si la marmotte ne voit pas son ombre, elle ne sera pas effrayée ; elle restera éveillée et cherchera de quoi manger. L'absence de soleil indique l'arrivée imminente du printemps.

Les Allemands et les Anglais ont apporté en Amérique cette tradition de la Fête de la Marmotte. Le 2 février, les Allemands ont observé depuis des centaines d'années le comportement du blaireau. Celui-ci, affirment-ils, permet de savoir si le printemps sera précoce ou tardif. Les Anglais ont étudié, pour leur part, le comportement du hérisson, et sont arrivés aux mêmes conclusions. En Amérique, les colons anglais et allemands ont perpétué la tradition en surveillant, toujours le 2 février, le comportement de la marmotte.

Qu'est-ce que le Carême ?

Le Carême est la période de l'année pendant laquelle les chrétiens se préparent à fêter Pâques. Il dure 40 jours (sans compter les dimanches) entre le Mercredi des Cendres et le Dimanche de Pâques. Ces 40 jours rappellent aux chrétiens les moments que Jésus Christ a consacré dans le désert au jeûne et à la prière. Le mot Carême est une déformation d'un mot latin qui signifie "quarantième".

Le Carême peut commencer à diverses dates entre le 4 février et le 11 mars, en fonction de la date du Dimanche de Pâques.

Il y a très longtemps, les chrétiens appliquaient rigoureusement le principe du jeûne pendant toute la durée du Carême. Ils ne mangeaient pas de mets contenant des œufs, du lait, de la viande ou des graisses animales. De nos jours, les règles du jeûne sont moins strictes.

Le Carême est également une période pendant laquelle les chrétiens sont invités à penser aux besoins d'autrui. En témoignage de leur foi, certains d'entre eux renoncent à manger leur plat favori ou à exercer leur activité préférée pendant ces 40 jours d'abstinence.

Que se passe-t-il le Mercredi Cendres ?

Le Mercredi des Cendres, les églises chrétiennes célèbrent une messe spéciale pour inaugurer le Carême. Le prêtre marque le front des fidèles d'une petite croix de cendres, qui symbolise le regret. Il les invite ainsi à se repentir de leurs péchés.

Les cendres du Mercredi des Cendres sont produites en brûlant les tiges de buis utilisées l'année précédente pour le Dimanche des Rameaux (le dernier dimanche avant Pâques).

Qu'est-ce que le Mardi-Gras ?

Le Mardi-Gras est un jour de fête qui a lieu le dernier mardi avant le début du Carême. Il marque la fin d'une période "grasse", riche en festivités, en parades et en carnavals. La tradition du Mardi-Gras est née en France. Elle remonte au XVe siècle ; les chrétiens devaient alors se préparer à renoncer aux viandes et aux graisses animales. Les Français faisaient ainsi la fête depuis les premiers jours de janvier jusqu'au Mercredi des Cendres, le point culminant des festivités étant le Mardi-Gras.

Les carnavals célébrant le Mardi-Gras sont très populaires dans de nombreuses villes européennes ainsi qu'au Brésil, en particulier à Rio-de-Janeiro.

Pour de nombreux chrétiens, le Mardi-Gras est aussi un jour où l'on confesse ses péchés avant de se purifier par le long jeûne du Carême. Ils se rendent à l'église, se confessent, puis le soir venu, ils célèbrent le Mardi-Gras en festoyant.

Célèbre-t-on le Mardi-Gras aux États-Unis ?

Oui. Ce sont les colons français qui ont instauré les fêtes du Mardi-Gras aux États-Unis. Dans les États de l'Alabama, de la Floride, de la Louisiane, du Mississippi et du Texas, de nombreuses villes célèbrent fastueusement le Mardi-Gras. Le plus grand carnaval a lieu à la Nouvelle-Orléans, en Louisiane, où de nombreuses familles sont d'origine française. Il dure dix jours et l'on vient de tous les coins des États-Unis pour participer aux festivités. On porte des masques et on se déguise, on participe à la fête ponctuée de grandes parades. Les événements sont patronnés par des groupes qu'on appelle des Krewes. Chaque Krewe désigne pour sa parade un roi et une reine, conformément à des traditions européennes vieilles de plusieurs siècles.

Les fêtes et les défilés les plus grandioses ont lieu le dernier jour du Carnaval. Le plus grand des Krewes, l'Organisation Rex, sélectionne un roi qui règnera sur l'ensemble du Carnaval. Une immense parade a lieu avec de nombreuses fanfares et des bannières géantes éclairées par d'immenses flambeaux. Tous portent un masque, à l'exception du roi, et on danse jusqu'à l'aube.

JE FERAIS UNE PARFAITE REINE DE CARNAVAL !

Qu'est-ce que la Fête des Crêpes ?

La Fête des Crêpes a lieu en Angleterre, le mardi qui précède le Carême. Comme tu l'as déjà compris, les chrétiens devaient éviter jadis de manger des matières grasses, du lait et des œufs pendant le Carême. En Angleterre, pour ne pas jeter les aliments, on les consomme sous forme de crêpes.

Les enfants anglais s'amusent, ce jour-là, à les faire sauter. Quelqu'un lance une crêpe hors de la poêle à frire et les enfants doivent l'attraper au vol. Celui ou celle qui s'empare du plus gros morceau gagne un prix.

Dans une ville d'Angleterre, à Olney, une course de crêpes a lieu tous les ans. Les femmes y participent en courant avec des crêpes qui finissent à peine de dorer dans la poêle !

Tous les Américains fêtent-ils l'anniversaire d'Abraham Lincoln ?

Non. Seuls 24 états sur les 51 commémorent l'anniversaire d'Abraham Lincoln, le 12 février. Huit autres états célèbrent à la fois les anniversaires de Lincoln et de George Washington, lors de la Journée des Présidents. Les états du sud ne fêtent pas du tout l'anniversaire d'Abraham Lincoln parce qu'il était Président pendant la Guerre Civile. Au début de ce conflit, le Sud s'était retiré de la confédération des États-Unis. Mais l'armée nordiste du Président Lincoln a combattu les états rebelles et les a réintégrés à l'Union.

Fête-t-on les crêpes en France ?

Oui. La Chandeleur célèbre la présentation de Jésus au temple, quarante jours après sa naissance. Bien avant cette fête chrétienne, la "procession des chandelles" éclairait les rues de la Rome ancienne. On y mangeait des galettes de céréales. C'est sans doute l'origine des crêpes que l'on fait sauter traditionnellement en France le jour de la Chandeleur.

ABRAHAM LINCOLN

123

Qui était Saint-Valentin ?

Personne n'en est certain, car plusieurs saints s'appelaient Valentin. L'un d'eux, pourtant, était un prêtre chrétien qui vivait dans la Rome antique 300 ans environ après la naissance de Jésus. A cette époque, l'Empereur romain avait interdit le mariage chrétien, ses rites et son cérémonial. Mais Valentin ignora le décret impérial et continua à marier les gens suivant les coutumes chrétiennes. Lorsque les Romains découvrirent ses agissements, ils le condamnèrent et l'exécutèrent. Plus tard le 14 février est devenu le jour de la Saint-Valentin. Parce qu'il commémore le mariage des hommes et des femmes qui s'aimaient suffisamment pour défier les lois au péril de leur vie, le jour de la Saint-Valentin est devenu, dans de nombreux pays du monde, la fête des amoureux.

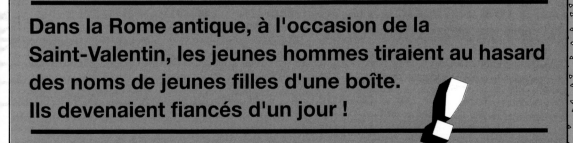

Quand a-t-on commencé à fêter la Saint-Valentin ?

La coutume qui consiste à s'adresser des mots d'amour à l'occasion de la Saint-Valentin remonte au début du XVe siècle. Plus tard, les amoureux ont commencé à orner leurs lettres de dessins. Puis ils y ont inclus des fleurs séchées ou ajouté de la dentelle. En France et en Europe, le jour de la Saint-Valentin, on envoie des fleurs, des chocolats, ou un cadeau avec un message exprimant l'affection que l'on porte à l'être aimé. En Amérique du Nord, on peut aussi envoyer des cartes de Saint-Valentin à des amis ou des membres de sa famille.

Dans la Rome antique, à l'occasion de la Saint-Valentin, les jeunes hommes tiraient au hasard des noms de jeunes filles d'une boîte.
Ils devenaient fiancés d'un jour !

Qui était Susan B. Anthony ?

SUSAN B. ANTHONY

Les Américains honorent la mémoire de Susan B. Anthony le jour de son anniversaire, le 15 février. Elle a vécu au XIXe siècle, époque à laquelle on n'imaginait pas que les femmes puissent voter et exprimer ainsi une opinion politique. Susan Anthony a mené un combat difficile pour que les femmes obtiennent le droit de vote. En 1872, elle a participé à une élection et a été arrêtée pour ce qu'on voulait considérer comme un crime. Elle a été condamnée à une simple amende qu'elle a refusé de payer, mais le magistrat a jugé bon de lui accorder quand même la liberté. A sa mort en 1906, seuls quatre états avaient reconnu aux femmes le droit de voter. Aujourd'hui, ce droit est acquis presque universellement.

George Washington traversant le fleuve Delaware.

Quand les Américains fêtent-ils l'anniversaire de George Washington ?

George Washington est né le 22 février, mais on fête aujourd'hui son anniversaire à l'occasion de la Journée des Présidents. Elle a lieu tous les ans le troisième lundi de février, ce qui permet aux Américains de bénéficier d'un long week-end. Après avoir été Commandant-en-Chef de l'armée révolutionnaire lors de la Guerre d'Indépendance des colonies américaines George Washington est devenu le premier Président des États-Unis. C'est pendant la Guerre d'Indépendance que les Américains se sont battus afin de pouvoir gouverner eux-mêmes leur pays.

MARS

Pourquoi le peuple irlandais célèbre-t-il la Fête de Saint-Patrick ?

Saint Patrick est le Saint Patron de l'Irlande, où il a introduit le Christianisme. La Saint-Patrick est à la fois une fête religieuse et une fête nationale. Elle a lieu le 17 mars, date d'anniversaire de la mort de Saint Patrick il y a plus de 1500 ans. Les Irlandais du monde entier fêtent la Saint-Patrick, surtout aux États-Unis où de nombreuses familles irlandaises ont émigré. Nombreux sont les non-Irlandais qui participent également aux festivités.

Pourquoi les Irlandais s'habillent-ils de vert, le Jour de la Saint-Patrick ?

Le Jour de la Saint-Patrick est une fête irlandaise, et le vert est la couleur symbolique de l'Irlande. C'est parce que la terre d'Irlande est très verdoyante : selon une légende, le paysage irlandais comporterait jusqu'à 40 variétés de vert. De plus, le trèfle, une petite plante verte à trois feuilles, autre symbole du pays, pousse abondamment en Irlande et reste vert toute l'année.

Saint-Patrick était-il irlandais ?

Non, Saint Patrick n'est pas né en Irlande. Il était probablement originaire du Pays de Galles. Il s'appelait Patricus, ce qui veut dire en latin "bien né" et se traduit en anglais par Patrick.

Saint Patrick entra en Irlande comme esclave. Il avait été capturé par des pillards irlandais qui n'avaient jamais entendu parler du Christianisme. Plus tard, il a réussi à s'évader et à regagner sa terre natale, où il est devenu évêque. Puis il est retourné en Irlande, où il a prêché le Christianisme.

Le 28 mars, les étudiants tchèques et slovaques fêtent le Jour des Professeurs, en leur apportant des cadeaux !

Que signifie, pour les chrétiens, la Semaine Sainte ?

La Semaine Sainte est celle qui précède le Dimanche de Pâques. Selon la date de celui-ci, elle peut se situer en mars ou en avril. Elle commence le Dimanche des Rameaux, lorsque les fidèles reçoivent à l'église des rameaux symboliques. Ils rappellent aux chrétiens l'entrée triomphale de Jésus-Christ dans Jérusalem, où la foule l'acclamait tel un roi en jetant sur son chemin des rameaux d'oliviers.

Dans les jours qui suivent, le plus important est le Vendredi Saint. C'est le jour de la Cène, ou du Dernier Repas, au cours de laquelle le Christ a introduit le sacrement de la Sainte Communion. La Cène a été le dernier repas que le Christ ait partagé avec ses disciples, c'est-à-dire ses compagnons les plus proches.

Le Vendredi Saint constitue, pour les chrétiens, le jour le plus triste de l'année, car c'est ce jour-là que le Christ a été crucifié et enseveli. La crucifixion était un châtiment qui consistait à attacher un condamné à une croix jusqu'à ce qu'il meure de faim et de soif. La veille de Pâques, le samedi, les églises ne célèbrent pas de messe.

Pourquoi les chrétiens fêtent-ils Pâques ?

Pâques est la fête chrétienne la plus heureuse et la plus importante. Le Dimanche de Pâques, les chrétiens célèbrent leur croyance en la résurrection de Jésus-Christ trois jours après sa crucifixion. Par résurrection, on entend "le retour à la vie après la mort".

La religion chrétienne enseigne que la résurrection de Jésus est une grande victoire sur la mort, qu'elle apporte une vie nouvelle et éternelle à tous ceux qui croient en Lui.

Le mot Pâques vient du mot populaire latin, pascua, qui veut dire passage et se réfère au passage de Jésus de la mort à la vie. Pâques a toujours lieu au printemps, qui renouvelle le cycle de la nature.

Pourquoi l'œuf est-il le symbole de Pâques ?

Dans de nombreuses civilisations à travers le monde, l'œuf symbolise le renouveau. C'est à partir de l'œuf que surgit la vie, et ce symbole rappelle aux chrétiens la résurrection de Jésus et la vie spirituelle que celle-ci leur a apportée.

Quand a-t-on commencé à décorer les œufs de Pâques ?

ŒUFS DE PÂQUES UKRAINIENS

Personne n'en est absolument sûr. Certaines personnes prétendent que les Égyptiens coloriaient les œufs bien avant la naissance de Jésus. Avant l'existence de la teinture, on enveloppait les œufs dans des feuilles et des fleurs et on les plongeait dans l'eau bouillante. La coquille de l'œuf absorbait ainsi le vert des feuilles ou le rouge des pétales. Plus tard, les chrétiens peignaient les œufs et les faisait bénir. À Pâques, ils les offraient à leurs amis.

Qu'est-ce que le Lapin de Pâques ?

Dans de nombreux pays, le lapin blanc ou le lièvre symbolisent également le printemps et le renouveau. De nombreux contes parlent d'œufs et de lièvres.

Une légende allemande raconte qu'une pauvre femme avait caché dans un nid des œufs coloriés. C'était un cadeau pour ses enfants. Au moment où les enfants ont découvert le nid, ils ont vu s'enfuir un lièvre, et on a raconté que c'était le lièvre qui avait apporté les œufs. Aujourd'hui, le lièvre est devenu le Lapin de Pâques.

Une famille juive autour du séder, le dîner pascal.

Qu'est-ce que la Pâque juive ?

La Pâque juive est une fête heureuse, car elle commémore la fuite, il y a plus de 3 000 ans, du peuple juif hors d'Égypte où il avait été retenu en esclavage. Elle est célébrée en mars ou en avril, selon le calendrier juif.

Pour la plupart des Juifs, la fête dure huit jours. Tout au long de cette période, ils mangent des aliments particuliers, comme le matza, ou pain azyme, qui leur rappelle l'exode de leurs ancêtres. La veille des deux premiers jours, les familles juives invitent leurs amis ou leurs parents à partager le repas pascal, ou *séder*.

En quoi consiste le séder ?

Le *séder* réunit les Juifs autour d'un dîner pendant lequel ils lisent à haute voix un livre, la *Hagadah*, qui raconte l'esclavage de leurs ancêtres et leur fuite vers la liberté. Sur la table, dans un plat on dispose du pain azyme et dans un autre des mets spéciaux comme du raifort, du persil ou du céleri, un mélange de vin, de pommes écrasées, d'amandes et de cannelle, un manche de gigot d'agneau, et un œuf rôti. Ce sont des symboles de l'esclavage et de la délivrance des Juifs.

Que représentent les plats spécifiques que l'on sert pendant la Pâque juive ?

Chacun des aliments servis sur le plat du séder a une signification particulière. Le raifort, qu'on appelle *maror* en hébreu, est une racine amère qui rappelle aux Juifs l'amertume de l'exil en Égypte. Il symbolise aussi le triste sort des Juifs d'aujourd'hui qui vivent dans des pays où on leur interdit encore de pratiquer les rites de leur foi.

Le persil ou le céleri, qu'on appelle *karpas*, remettent en mémoire la pauvreté du régime alimentaire des esclaves juifs en Égypte. Pendant la cérémonie du *séder*, on trempe un morceau de *karpas* dans de l'eau salée, qui figure les larmes du peuple opprimé.

Le mélange de vin, de pomme, d'amandes et de cannelle constitue le *haroset*. Il symbolise la difficulté qu'éprouvaient les Juifs à fabriquer les briques ou le ciment avec le peu de matériau fourni par l'oppresseur égyptien.

Le gigot rappelle l'agneau que les Juifs offraient en sacrifice à Dieu dans les temps anciens. L'œuf rôti dans sa coquille symbolise un sacrifice spécial qui faisait partie des offrandes des premières fêtes de la Pâque. Le nom de l'œuf en hébreu, c'est *baitza*.

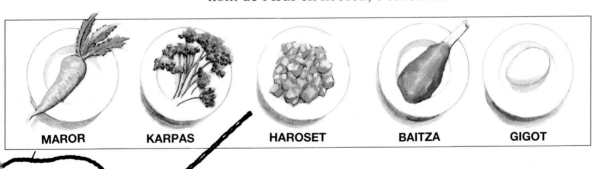

MAROR   KARPAS   HAROSET   BAITZA   GIGOT

Pourquoi mange-t-on le *matza* à l'occasion de la Pâque juive ?

Le *matza* évoque également l'exode des Juifs hors d'Égypte, au cours duquel ils n'ont pas eu le temps de faire lever le pain avant de le cuire. Ils ont donc confectionné un pain plat, comme le *matza*, préparé sans levain.

A vril, mai et juin abondent de fêtes que nous aimons tous. Il y a le 1er Avril pour les enfants, la Fête des Mères pour les mamans, la Fête des Pères pour les papas et même la Semaine des Animaux qui fait bien plaisir à Snoopy et Woodstock !

A CHACUN SA FETE

AVRIL

Qu'est-ce que le Ramadan ?

Le Ramadan est le neuviè-me mois du calendrier musulman. L'année musulmane est basée sur 12 mois lunaires et comporte 354 ou 355 jours, au lieu des 365 de l'année chrétienne (qu'on appelle l'année grégorienne). Par rapport au calendrier grégorien, donc, l'année musulmane commence 11 jours plus tôt chaque année. Le Ramadan, qui suit ce calendrier, est décalé d'autant chaque année. Les musulmans, fidèles à la religion islamique, jeûnent tout au long du mois. Pendant le Ramadan, les adultes doivent s'abstenir de manger entre le lever et le coucher du soleil. La plupart des activités cessent également dans certains pays musulmans : les magasins sont fermés et tout le monde se repose. En revanche, le soir venu, on se retrouve entre parents et amis pour manger et faire la fête.

Quelle est l'origine du Poisson d'Avril ?

Comme tu le sais, le Poisson d'Avril tombe toujours le premier avril, mais personne ne connaît l'origine de la coutume avec certitude. Il se peut que le poisson d'avril soit un faux cadeau offert pour plaisanter à la suite de la suppression, il y a très longtemps, du Nouvel An du 1er avril. Cela expliquerait la survie de la tradition des farces dans la plupart des pays occidentaux. Mais la référence au poisson n'est pas universelle, et certains pensent qu'elle serait liée en France à la fermeture de la pêche le 1er avril, règlement en vigueur depuis des siècles. En guise de consolation, on aurait offert aux pêcheurs d'eau douce un hareng de haute mer !

Comment les Musulmans fêtent-ils la fin du Ramadan ?

La fin du jeûne est marquée par une fête, Aïd-al-Fitr. Le matin, les musulmans s'adonnent à la prière dans les mosquées. Puis ils rentrent chez eux et participent à un festin, qui est le premier repas de midi en un mois. Un des plats les plus appréciés de ce déjeuner consiste à faire cuire des nouilles dans du lait avec du sucre et de la noix de coco.

A l'occasion de cette fête, les musulmans portent des vêtements neufs. Ils échangent des cadeaux et participent pendant trois jours à des fêtes de carnaval ponctués de feux d'artifice.

Des musulmans à la prière.

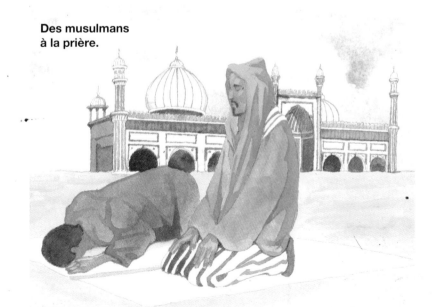

Comment célèbre-t-on l'anniversaire de Bouddha au Japon ?

Les Japonais commémorent la naissance de Bouddha le 8 avril par un festival de fleurs. Bouddha est, en Asie, une grande figure religieuse. Il a vécu 500 ans avant la naissance de Jésus-Christ. Il a prêché la paix, la générosité et le respect mutuel. Ce n'est qu'ainsi, a-t-il enseigné, que l'Homme peut accéder au bonheur. Ses disciples ont répandu sa philosophie à travers toute l'Asie.

Le jour de son anniversaire, des millions de bouddhistes japonais se rendent aux temples voisins avec des brassées de fleurs fraîches. Au temple, ils lavent une petite statue à l'effigie de Bouddha avec du thé sucré. Les petites filles se couvrent le visage de poudre blanche pour que Bouddha puisse apprécier leur beauté et leur fraîcheur. Les enfants sont vêtus de kimonos ornés de fleurs multicolores. Les prêtres bouddhistes parcourent les rues vêtus d'habits traditionnels. Ils précédent parfois un défilé de chars. L'un de ces chars porte toujours une statue de Bouddha assis sur le dos d'un éléphant. Aux Indes, seuls les souverains étaient portés par des éléphants blancs.

Statue de Bouddha, à Kamakura, au Japon.

Qu'est-ce que la Journée de l'Arbre ?

Aux États-Unis, cette fête (Arbor Day) est consacrée à la plantation d'arbres. La première manifestation de ce qui est devenu une coutume a eu lieu le 10 avril 1872.

Ce jour-là les habitants de l'État du Nebraska ont planté un million d'arbres. Si la plupart des fêtes commémorent le passé, celle-ci est orientée vers l'avenir. Les arbres purifient l'atmosphère, affermissent la terre et empêchent parfois les inondations. Dans de nombreuses cultures, l'arbre devient symbole de vie.

Si la première Fête de l'Arbre a eu lieu en avril, sa date peut varier d'un État à l'autre, et elle est souvent célébrée en mai.

134

MAI

Que fête-t-on le premier mai ?

Dans de nombreux pays, le premier mai est la Fête du Travail, mais c'est aussi la fête du printemps. Dans certains pays, on danse encore autour d'un poteau qui symbolise l'Arbre de Mai. En France, on offre du muguet.

Existe-t-il une période consacrée aux animaux domestiques ?

Imagine la tête de Snoopy s'il n'y avait pas, chez lui, aux États-Unis, une fête des animaux ! Elle dure pendant toute une semaine, la première du mois de mai. On encourage les gens à faire contrôler l'état de santé de nos amis chez le vétérinaire, qui donne des conseils sur la manière de bien les traiter et de les soigner.

De quand date la Fête des Mères ?

La Fête des Mères n'est pas une institution moderne. On la fêtait à Rome au VIe siècle avant Jésus-Christ. En France, l'Empereur Napoléon 1er a été le premier à formuler l'idée d'une telle fête, mais elle n'a été officialisée qu'en 1929 et définitivement instituée en 1950. Les États-Unis en ont fait une fête nationale dès 1914. Ce fut une fort bonne idée !

La Reine Victoria, souveraine d'Angleterre.

Pourquoi les Canadiens célèbrent-ils la Fête de Victoria ?

Le Canada fait partie du Commonwealth Britannique, un groupe de nations qui ont été ou sont encore gouvernés par l'Angleterre. La Fête canadienne commémore la naissance de la Reine Victoria, qui a régné sur l'Angleterre et l'Empire Britannique pendant 64 ans, de 1837 à 1901. Après sa mort, on a continué à lui rendre hommage le 24 mai, jour de son anniversaire. De nos jours, la Fête canadienne a lieu le lundi précédant le 25 mai.

Comment les Américains rendent-ils les honneurs à leurs soldats morts au combat ?

Le peuple américain honore ses soldats tués à la guerre par la Journée du Souvenir, qui est célébrée le dernier lundi du mois de mai. On l'appelait auparavant la Journée des Décorations, car à cette occasion les tombes des soldats sont ornées de fleurs.

Le Jour du Souvenir on dépose une gerbe au cimetière militaire d'Arlington à Washington, sur la Tombe des Inconnus où reposent les dépouilles de trois soldats américains inconnus, tués respectivement lors de la Première Guerre Mondiale, de la Seconde, et de la Guerre de Corée. Les États-Unis rendent ainsi hommage à leurs soldats tombés au champ d'honneur.

La France se souvient de ses soldats morts à la guerre lors de la Fête de l'Armistice du 11 novembre 1918 et de la Fête Nationale du 14 juillet. Le Président de la République dépose une gerbe et se recueille devant la Tombe du Soldat Inconnu où brûle une flamme éternelle, sous l'Arc de Triomphe à Paris. La flamme est ravivée chaque soir par une délégation d'Anciens Combattants.

JUIN

Le drapeau américain porte aujourd'hui 50 étoiles, chacune représentant l'un des États unis.

Quand les Américains célèbrent-ils la Fête du Drapeau ?

La Fête du Drapeau a lieu le 14 juin. Ce même jour, en 1777, les dirigeants des colonies américaines ont voté l'adoption d'un nouveau drapeau pour symboliser leur pays.

Il a remplacé celui de la Grande Union, qui portait en emblème le drapeau britannique. Il ne comportait à l'époque que 13 étoiles, représentant les 13 États d'origine qui forment encore aujourd'hui la Nouvelle Angleterre. Le nouveau drapeau a été cousu par une certaine Betsy Ross, et une légende rapporte que le Général George Washington, futur premier Président des États-Unis, voulait des étoiles à 6 pointes. Mais Madame Ross s'y est opposée et l'a convaincu d'accepter les étoiles à cinq pointes qui l'ont toujours orné depuis.

Existe-t-il une Fête des Enfants ?

Oui, de nombreuses communautés protestantes ont institué une Fête des Enfants, aux États-Unis, le deuxième dimanche de juin. Les enfants participent aux services religieux et passent souvent dans la classe supérieure du cours de catéchisme.

De tout temps, divers pays ont fêté les enfants de différentes manières. Une coutume existe en Turquie qui ne manque pas de leur faire plaisir. Le jour de la Fête des Enfants, les cinémas sont gratuits, et les confiseries de l'entracte aussi !

VIVENT LES ENFANTS !

Depuis quand célèbre-t-on la Fête des Pères dans le monde ?

Les premières festivités en l'honneur des pères remontent à l'année 1910. C'est encore aux États-Unis que revient l'initiative. Une certaine Louise Dodd, citoyenne de Spokane, dans l'État de Washington, a pensé qu'une fête réservée aux pères constituerait un bon moyen de les rapprocher de leurs enfants.

L'idée s'est rapidement étendue à d'autres États, et en 1924 le Président Coolidge a encouragé tous les Américains à dédier une fête à leurs pères, ce qu'ils font, depuis ce temps, le troisième dimanche de juin.

La même fête a été instituée en France en 1952.

Qu'est-ce que la Saint-Jean-Baptiste ?

Saint Jean-Baptiste est le Saint Patron du Québec, une province canadienne de langue française. On le fête par une grande parade de chars dont le plus important porte l'effigie de Jean-Baptiste enfant, vêtu en berger et protégeant un agneau portant un ruban noué autour du cou. L'agneau symbolise Jésus. La foule s'amasse dans la ville de Montréal pour acclamer Saint-Jean-Baptiste et son agneau. La fête commence le 24 juin et peut durer pendant huit jours.

Les drapeaux claquent au vent et le ciel nocturne explose de mille couleurs. C'est sans doute la Fête de l'Indépendance du 4 juillet, ou bien la Fête de la prise de la Bastille du 14 juillet. Quel que soit le pays où tu vis, l'été t'offre une multitude de fêtes et de motifs de réjouissance.

LES FEUX DE L'ÉTÉ

JUILLET

Quand les Canadiens célèbrent-ils leur fête nationale ?

La Fête Nationale du Canada a lieu le 1er juillet, jour anniversaire de son autonomie. Comme les États-Unis, le Canada faisait partie de l'Empire Britannique, mais le 1er juillet 1867, les Anglais l'ont transformé en dominion. Un dominion est un territoire dont le gouvernement est autonome mais reste loyal à la couronne d'un autre pays, c'est-à-dire au roi ou à la reine. Au moment de sa fête nationale, qui s'appelait auparavant le Fête du Dominion, le Canada déploie ses drapeaux et organise de splendides défilés. On y distingue sans peine les vestes écarlates de la célèbre Police Montée !

Quelle fête les Américains célèbrent-ils le 4 juillet ?

Le 4 juillet est l'anniversaire de la déclaration d'Indépendance des États-Unis. Au début du XVIIIe siècle, l'Angleterre gouvernait les 13 colonies de la côte Est du continent. Les colons estimaient que le roi d'Angleterre était injuste à leur

Ce tableau représente la signature de la Déclaration d'Indépendance.

égard, et ils voulaient que leur pays devienne autonome. En 1776, les dirigeants des colonies se réunirent à Philadelphie pour évoquer leur indépendance vis-à-vis de la Grande-Bretagne. Thomas Jefferson nota leurs arguments et rédigea la Déclaration d'Indépendance, précisant pourquoi les colons voulaient être libres. La Déclaration fut signée le 4 juillet. Un nouveau pays était né, mais encore fallait-il lutter et triompher de l'armée Britannique. C'est précisément ce que firent les Américains.

Au Japon, juillet est le mois de l'Obun. Les gens qui vivent au bord de l'eau font flotter des lanternes sur de petites barques. Elles sont destinées à éclairer le retour des esprits de parents défunts !

Prise de la Bastille, 14 juillet 1789.

Que représente pour les Français, la Fête Nationale du 14 juillet ?

Le 14 juillet est l'anniversaire de la prise de la Bastille, symbole de la Révolution Française dont l'esprit de liberté a influencé le monde entier. La Bastille était une grande forteresse au cœur de Paris, où le roi Louis XVI faisait enfermer tous ceux qui s'opposaient à son pouvoir, mais aussi celui de son entourage. Le 14 juillet 1789, le peuple français s'est révolté, a pris d'assaut la forteresse, a libéré les prisonniers et, par la suite, l'a complètement démantelée. Le 14 juillet est une très grande fête pour les Français mais aussi pour les étrangers qui viennent participer aux réjouissances : défilés militaires, fanfares, feux d'artifice et bals de rue sont traditionnellement organisés dans les mairies, sur les places des villages et dans les casernes de pompiers. A Paris, sur les Champs-Elysées, devant le Président de la République, le Gouvernement et des personnalités spécialement venues du monde entier, l'armée française défile au grand complet. C'est l'occasion, pour le public, d'un spectacle gigantesque où se mêlent, entre autres, les chars, les chevaux et les avions.

En 1989, à l'occasion du bicentenaire de la Révolution Française, la fête s'est terminée par la plus fastueuse des parades, orchestrée par Jean-Paul Goude.

SEPTEMBRE

Qu'est-ce que la Fête du Travail ?

En 1884, un congrès des syndicats d'ouvriers réunis à Chicago a décidé que la journée de travail serait limitée à 8 heures à partir du 1er mai 1886. En 1889, le 1er mai est devenu Fête du Travail dans le monde entier. Cependant, le Canada et les États-Unis célèbrent aujourd'hui cette fête le premier lundi de septembre.

En 1793, Fabre d'Églantine, écrivain français créateur du calendrier républicain, a fait instituer une fête du travail le 19 septembre !

Que signifie Rosh Hashanah ?

Rosh Hashanah est le Jour de l'An juif. Les mots signifient "début de l'année" en hébreu. La fête a lieu en septembre ou en octobre. Pour certains elle dure un seul jour, pour d'autres, deux jours, mais elle marque surtout le début d'une période de pénitence de 10 jours. Les Juifs méditent alors sur leur vie, se repentent de leurs fautes et cherchent de quelle manière ils peuvent améliorer leur âme et leurs actes.

A Rosh Hashanah, les Juifs se rendent dans les synagogues pour prier, puis se retrouvent en famille autour d'un repas de fête.

Comment les Juifs observent-ils Yom Kippour ?

Yom Kippour, ou Jour de la Purification, est la fête religieuse juive la plus sacrée de l'année. Les Juifs font acte de contrition et demandent à Dieu de pardonner leurs fautes de l'année écoulée. Yom Kippour marque la fin des Dix Jours de Repentir. Tous les Juifs de plus de treize ans doivent observer le jeûne total pendant près de 24 heures. Il commence le soir et dure jusqu'au coucher du soleil du jour suivant.

L'office religieux débute dans la synagogue par une prière de repentir, le Kol Nidrei. Les Juifs s'assemblent en grand nombre pour passer la soirée et une bonne partie du lendemain à prier dans la synagogue. La fin de Yom Kippour est annoncée au crépuscule par le choffar.

Cet homme souffle dans un choffar.

À Rosh Hashanah, on savoure des morceaux de pomme enrobés de miel. C'est pour commencer l'année nouvelle avec douceur !

Qu'est-ce qu'un *choffar* ?

Un *choffar* est un instrument de musique fabriqué à partir d'une corne de bélier. Il émet un son qui rappelle la trompette ou plusieurs hautbois sonnant ensemble. Les Juifs se servaient déjà du *choffar* il y a des milliers d'années. On l'entendait à plusieurs kilomètres à la ronde, et il indiquait à la population l'heure de la prière ou l'avertissait d'un danger. Le *choffar* moderne est plus petit et moins sonore. À Rosh Hashanah et à Yom Kippour, les Juifs sont attentifs à son chant, qui les invite à une méditation profonde.

CHAPITRE 5

LE TEMPS DES CADEAUX

Voici venir octobre, novembre, et décembre avec les premiers froids et les premières neiges. Mais heureusement il reste quelques fêtes pour réchauffer les cœurs. C'est surtout la saison des cadeaux, et il s'agit de les envelopper avec soin, comme nous le montrent les complices de Charlie Brown. Bonnes Fêtes !

OCTOBRE

Christophe Colomb a débarqué à San Salvador, aux Bahamas, le 12 octobre 1492.

Pourquoi l'Amérique fête-t-elle la Journée Christophe Colomb ?

Cette journée commémore le débarquement de Christophe Colomb sur le sol d'Amérique, le 12 octobre 1492. A en croire certains, Colomb n'aurait pas été le premier Européen à découvrir le continent Américain. Les Irlandais et les Norvégiens prétendent que leurs explorateurs avaient été les premiers à s'y rendre, mais que personne n'y avait prêté attention. C'est en tout cas grâce au voyage de Christophe Colomb que l'Europe a appris l'existence du Nouveau Monde.

Christophe Colomb ignorait qu'il avait découvert l'Amérique. Il pensait avoir accosté près de la Chine ou du Japon !

Pourquoi les Américains fêtent-ils Halloween ?

Halloween rassemble plusieurs fêtes traditionnelles à la date du 31 octobre.

Pour les Celtes qui peuplaient la France et l'Angleterre il y a des centaines d'années, c'était une nuit au cours de laquelle rôdaient les fantômes et les sorcières. C'était la fête du *Samhain*, qui célébrait la fin de l'été et des récoltes. Les Celtes croyaient alors que les fruits et les légumes étaient habités par des esprits qui, avec ceux des morts, redescendaient sur terre ce jour-là. Aussi allumaient-ils de grands feux pour les éloigner.

Bien plus tard, les Celtes sont devenus chrétiens. Le 1er novembre, ils se mirent à fêter la Toussaint, comme les chrétiens modernes. Les chrétiens celtes l'appelaient *Allhallows* (Tous les Saints), et le 31 octobre en était la veille, que l'on traduit en Anglais par *eve* ou *evening* . Aujourd'hui, l'expression *Allhallows Evening*, simplifiée, est devenue "Halloween".

D'où provient la coutume du "trick-or-treat" (farce ou friandise)?

Il y a longtemps, en Irlande à Halloween, les gens allaient de porte en porte en mendiant de la nourriture. Ils promettaient "bonne ou mauvaise fortune" à ceux qui donnaient ou ceux qui ne donnaient rien. Pour les enfants américains, cette coutume est un jeu qui leur rapporte beaucoup de friandises.

147

Dans l'Ile de Man, au large des côtes d'Angleterre, on appelait Halloween la "Nuit des Coups à la Porte". Les garçons frappaient aux portes avec des betteraves et des choux jusqu'à ce qu'on leur donne de l'argent pour qu'ils s'en aillent !

Que représente la citrouille de Halloween ?

Les Celtes pensaient que l'esprit de la citrouille était bénéfique. Ils le représentaient souriant et aimable. Les Irlandais prétendaient en revanche qu'il était si avare qu'on ne l'acceptait pas au paradis. L'enfer n'en voulait pas non plus. C'est pourquoi, selon la légende, il se promène éternellement avec une lanterne. Aussi l'a-t-on baptisé Jacques-la-Lanterne, comme les citrouilles que l'on évide et découpe aujourd'hui à son effigie en y plaçant une bougie qui rappelle les feux des Celtes.

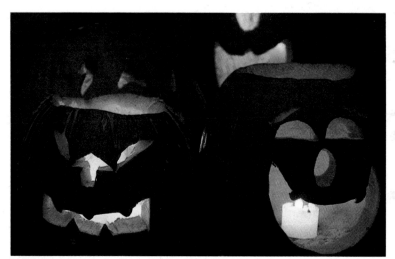

Tailler le visage de Jacques-la-Lanterne dans des citrouilles est une tradition de Halloween.

QUELLE PEUR ! JE T'AVAIS PRIS POUR UN CHAT !

La plus grosse citrouille a été cultivée aux États-Unis en 1986 : elle pesait 304 kilos et mesurait 3,60 mètres de diamètre !

Pourquoi, à l'occasion de Halloween, porte-t-on des costumes qui font peur ?

L'habitude de revêtir des déguisements macabres remonte aux Druides des Celtes irlandais. Comme les mauvais esprits étaient supposés hanter la terre cette nuit-là, les Druides pensaient pouvoir les tromper en leur faisant croire qu'ils étaient eux-mêmes des esprits néfastes. Personne ne peut dire aujourd'hui si la ruse a réussi !

La Grande Citrouille existe-t-elle vraiment ?

Linus lui-même ne saurait répondre à cette question : il attend depuis des années l'apparition de la Grande Citrouille dans le potager !

JE NE PENSE PAS QUE LES FANTÔMES PORTENT DES LUNETTES, MARCIE !

FRIANDISE OU FARCE

FRIANDISE OU FARCE

Quel événement de l'histoire d'Angleterre la Fête de Guy Fawkes évoque-t-elle ?

Cette fête commémore, le 5 novembre, la capture d'un conspirateur du nom de Guy Fawkes. En 1605, il a tenté de faire sauter le Parlement alors que le roi s'y trouvait. A cette époque, le Parlement était le lieu ou le souverain rencontrait les délégués du peuple et des nobles pour discuter d'affaires politiques. Les plans de Guy Fawkes et ses complices ont été déjoués et le groupe a été arrêté.

Les Anglais célèbrent cet attentat manqué, dont les conséquences auraient été graves, en menant grand vacarme dans les rues. Les enfants font exploser des pétards, entrechoquent des cymbales et allument de grands feux de joie sur lesquels on brûle l'effigie du traître.

Le premier mardi de novembre est réservé, aux États-Unis, aux élections. Tous les quatre ans, les citoyens américains doivent élire leur Président et leur Vice-Président.

Quel événement de l'histoire de l'Europe commémore-t-on le 11 novembre ?

Le 11 novembre 1918, l'Allemagne capitulait et signait l'Armistice qui mettait fin à la première guerre mondiale. Le 11 novembre est une fête nationale en France et en Belgique, où le conflit a fait rage pendant quatre longues années. Novembre est aussi le mois du souvenir des Alliés et, aux Etats-Unis, le 11 Novembre s'appelle la Journée des Anciens Combattants. C'est la date à laquelle on honore tous les Américains hommes ou femmes ayant servi sous les drapeaux. Elle s'appelait auparavant Fête de l'Armistice. Les Canadiens et les Britanniques consacrent également la journée du 11 novembre à leurs citoyens qui sont morts à la guerre.

Pourquoi les Américains mangent-ils de la dinde le Jour du Thanksgiving ?

La dinde de Thanksgiving Day, qui veut dire "Jour d'Action de Grâce" est une tradition qui remonte à 1620, quand les premiers pèlerins européens ont débarqué sur le sol du Nouveau Monde. Lors du premier hiver de leur exil, ils ont manqué de nourriture, à tel point que certains d'entre eux ont péri. Mais au printemps, les Indiens voisins leur ont appris à planter le maïs et donné de nombreux conseils sur la manière de cultiver la terre. Cet automne-là, ils ont compris qu'ils ne manqueraient plus jamais de nourriture.

Pour exprimer leur satisfaction et leur gratitude envers Dieu - car les pèlerins étaient très religieux - ils ont organisé un généreux festin, auquel ils ont évidemment invité leurs voisins indigènes. Ainsi ont-ils célébré la première fête de Thanksgiving.

A cette occasion, les hommes ont chassé le dindon qui vivait, en ce temps-là, à l'état sauvage. Depuis, la tradition s'est perpétuée et le plat de dinde est servi dans les familles américaines le quatrième jeudi de novembre. Au Canada, on fête Thanksgiving de la même manière, mais le second lundi d'octobre.

DECEMBRE

Pourquoi le peuple juif fête-t-il Hanoukka ?

Avec Hanoukka, les Juifs commémorent un événement qui remonte à plus de 2 000 ans. Au cours du deuxième siècle avant la naissance de Jésus-Christ, en Syrie, un souverain Grec s'était approprié l'emplacement actuel d'Israël. Il avait également pris possession du temple juif à Jérusalem. Les Juifs se sont battus pendant trois ans et ont fini par reprendre leur temple et une partie de leur territoire.

Les Juifs ont alors voulu rallumer les lampes du temple, mais il ne restait pas assez d'huile pour les éclairer plus d'une journée. Ils les ont allumées malgré tout et c'est là que s'est produit un miracle. Le peu d'huile qui restait a continué de brûler pendant huit jours.

Hanoukka se déroule au cours du mois de décembre. Les festivités durent huit jours, en souvenir des huit jours pendant lesquels l'huile a miraculeusement brûlé.

Comment les Juifs fêtent-ils Hanoukka ?

Chaque soir de Hanoukka, les Juifs allument des bougies et récitent des bénédictions de circonstance. Le candélabre de Hanoukka , ou *menorah*, possède neuf branches pour recevoir chaque soir une bougie et un *shamash*, la bougie qui sert à allumer les bougies sacrées. Le premier soir, on en allume une seule ; la dernière nuit, toutes sont allumées.

Pendant Hanoukka, les Juifs consomment des plats typiques de cette fête, souvent cuits dans l'huile. On mange volontiers des crêpes aux pommes-de-terre, nommées *latkes*. On chante et on échange des cadeaux. Les enfants reçoivent de l'argent, le *gelt* de Hanoukka, et parfois des pièces en chocolat enveloppées dans du papier doré. On leur offre également une toupie, qu'on appelle le *dreidel* .

RALENTIS, WOODSTOCK, À TE VOIR TOURBILLONNER COMME ÇA SUR TON DRIEDEL, J'AI LA TÊTE QUI TOURNE !

Quand a-t-on commencé à fêter Noël ?

Personne ne peut savoir exactement ni le jour ni le mois de naissance de Jésus, car il est né bien avant que les chrétiens aient choisi une date pour fêter Noël. Aux environs de l'année 334, une église romaine a pris l'initiative de consacrer une messe le 25 décembre à la naissance de Jésus. La coutume s'est instaurée au cours des siècles et les Chrétiens fêtent toujours la naissance du Christ le 25 décembre à travers le monde.

Qui a été le premier à décorer le sapin de Noël ?

Personne n'en est certain, mais la coutume qui consiste à ramener à la maison un conifère et de le décorer à Noël vient d'Allemagne. D'après une légende, Martin Luther en serait à l'origine. C'était un grand penseur chrétien. En rentrant chez lui la veille de Noël au début du XVIe siècle, il a entrevu le ciel étoilé à travers les cimes des arbres, et il lui a semblé que les étoiles scintillaient sur les branches mêmes. Arrivé chez lui, il a dressé un petit sapin dans la maison, et l'a décoré de bougies.

Le fait de décorer le sapin de Noël est donc également une tradition d'origine allemande. C'est le Prince Albert, mari allemand de la Reine Victoria, qui a introduit cette coutume en Angleterre. Allemands et Anglais l'auraient ensuite fait passer aux États-Unis où les colons, venus du monde entier, l'ont perpétuée.

PUIS-JE PLACER L'ÉTOILE AU SOMMET DE L'ARBRE ?

Le plus grand arbre de Noël jamais coupé mesurait 75 mètres de haut ! On l'a placé au cœur d'un centre commercial à Seattle, aux États-Unis en 1950 !

A-t-on toujours chanté Noël ?

Noël a toujours eu ses hymnes et sa musique sacrée depuis que la fête existe. Mais les chants de Noël anglo-saxons ont une origine particulière. Les chrétiens des temps anciens avaient coutume, pour exprimer leur joie, de danser en cercle à l'occasion des fêtes, bras dessus bras dessous, en chantant des airs joyeux. C'est de là que sont nés les "carols" anglais (le mot "carol" veut dire "danse en rond"), au XIIe siècle. A la même époque, en Italie, Saint-François d'Assise en a vivement encouragé la tradition. A tel point qu'on le désigne parfois comme étant le Père du chant de Noël.

Quel est le jeu de Noël préféré des enfants mexicains ?

Ils s'amusent beaucoup à casser des piñatas, qui sont de petites statuettes que les Mexicains fabriquent à Noël. Elles sont de formes diverses, représentant tantôt de grosses personnes, tantôt des clowns, des animaux ou encore le Père Noël. Il faut préciser que chaque statuette est remplie de friandises telles que des noix, des bonbons ou d'autres petits cadeaux.

On suspend le petit pot au plafond ou dans l'embrasure d'une porte, hors de portée des enfants. On bande ensuite tour à tour les yeux de chaque enfant, et on le place, armé d'un bâton, sous la statuette. L'enfant tente à trois reprises de casser la piñata tandis que les autres dansent et chantent autour de lui. Quand il réussit à la casser, les enfants se précipitent pour ramasser ce qu'ils peuvent du contenu de la piñata.

Qui a été le premier Saint-Nicolas ?

A en croire certains, Nicolas, évêque de Myrrhe en Turquie, serait le vrai Saint-Nicolas. Il a vécu aux environs de l'an 300 après Jésus-Christ, et on sait très peu de choses à son sujet, sinon qu'il adorait les enfants et leur offrait souvent des cadeaux.

Saint-patron de la Russie, Saint-Nicolas est devenu très populaire dans certaines contrées d'Europe. On le fête le 6 décembre.

A-t-on toujours pensé que le traîneau du Père Noël était tiré par des rennes ?

Non. Les gens ont formulé, d'époque en époque, de nombreuses théories sur le mode de transport du Père Noël. On a cru jadis qu'il se déplaçait à dos d'âne ou à cheval. Puis on a prétendu qu'il voyageait à travers le ciel à bord d'un carrosse tiré par des chevaux. Ce sont les habitants de la Scandinavie qui nous ont assuré que le Père Noël circulait à bord d'un traîneau tiré par des rennes. Effectivement on imagine mal qu'il puisse parcourir autrement les régions glacées du nord de l'Europe...

Qu'est-ce que la Bûche de Noël ?

Avant de devenir un gâteau, la bûche de Noël était une vraie grande bûche de bois que les Scandinaves brûlaient dans leurs vastes cheminées. C'était avant la naissance de Jésus, à l'époque du Noël actuel, au cours d'une période de fête païenne appelée Yule. Devenus chrétiens, ils ont conservé la tradition, qui s'est répandue dans toute l'Europe. Le gâteau évoque cette bûche.

Quelle est la plus belle fête de l'année ?

À chacun sa préférence. Snoopy aime bien jouer le rôle du Toutou de Pâques. Lucy s'amuse beaucoup le Premier Avril parce qu'elle peut jouer des tours à Charlie Brown. Et Charlie Brown n'aime aucune fête, car elles lui rappellent toutes les cartes de vœux qu'on ne lui envoie pas.

ALOHA!

KAMEHAMEHA I

● Le Jour de Kamehameha, à Hawaii, est la seule fête américaine consacrée à la royauté. Le roi Kamehameha est né au début du XVIIIe siècle et a vécu jusqu'en 1819. Il a réuni en un seul royaume toutes les îles hawaiiennes. Le 11 juin, les habitants d'Hawaii rendent hommage à ce souverain en organisant des spectacles et des parades. Des guirlandes de fleurs, qu'on appelle leis, sont posées sur le socle de sa statue à Honolulu.

● Ton anniversaire est aussi une fête très importante, avec son gâteau traditionnel et autant de bougies que tu comptes d'années. En France et dans d'autres pays de religion catholique, les enfants sont souvent baptisés d'après un saint dont le nom figure sur le calendrier officiel à une date précise. Le jour de la fête du saint, on fête aussi tous les enfants, et parfois même les adultes, qui portent son prénom.

HÉ, BARON ROUGE ! JOYEUX ANNIVERSAIRE !

TU T'ES TROMPÉE DE FÊTE, CHEF !

• Les Mexicains fêtent les morts les premier et deuxième jours de novembre. Ils invitent les esprits des défunts à revenir sur terre pour leur rendre visite. Ils préparent l'événement avec soin, achètent de nouvelles assiettes, des bougeoirs, des poupées-squelettes et des pâtisseries aux formes macabres. On reste éveillé toute la nuit du 31 octobre, à orner les autels de fleurs et de chandelles. On y dépose aussi des gâteaux, des bonbons et des jouets à l'attention des esprits d'enfants. On prépare un repas spécial pour les revenants, et l'on se réunit entre voisins pour évoquer les chers disparus.

• Certaines personnes ne peuvent officiellement fêter leur anniversaire que tous les quatre ans. Le mois de février ne compte en effet que 28 jours, sauf les années bissextiles, lorsqu'on lui ajoute un jour. Chaque année devrait en principe inclure 365 jours et un quart, mais pour éviter des décalages très complexes, le calendrier prévoit trois années égales de 365 jours et une quatrième année de 366 jours. Ceux qui sont nés le 29 février doivent donc attendre quatre ans pour célébrer leur anniversaire (ou trois fois sur quatre le fêter la veille).

• En Inde, les enfants hindous sont dispensés d'école le jour de leur anniversaire !

• En France, de nombreuses manifestations culturelles s'ajoutent aux fêtes traditionnelles, comme la fête du cinéma et la fête de la musique. Celle-ci a lieu tous les mois de juin, et tous ceux qui savent chanter ou jouer d'un instrument peuvent y participer !

UN ANNIVERSAIRE TOUS LES QUATRE ANS ? QUELLE ANGOISSE !